poesía Hiperión, 130

GONZALO ROJAS

MATERIA DE TESTAMENTO

FOTO ARCHIVO HIPERIÓN

GONZALO ROJAS

MATERIA DE TESTAMENTO

Hiperión

poesía Hiperión
Colección dirigida por Jesús Munárriz
Diseño gráfico: Equipo 109
Dibujo de cubierta: Roberto Matta

El presente volumen fue terminado de escribir por su autor en Berlín Occidental en la primavera de 1988, por una invitación oficial de la DAAD (Deutscher Akademischer Austauschdienst).

EDICIONES HIPERIÓN, S.L.
Salustiano Olózaga, 14 28001 Madrid Tfno.: (91) 401 02 34
ISBN: 84-7517-258-X Depósito legal: M-35457-1988
Técnicas Gráficas, S.L. Las Matas, 5 Madrid
IMPRESO EN ESPAÑA — *PRINTED IN SPAIN*

DE DONDE VIENE UNO

Introducción a una lectura en la Universidad Libre de Berlín. 28 de junio de 1.988.

Algo sobre la identidad del alumbrado.

Pertenezco a la promoción literaria chilena de 1938 que este 88 está cumpliendo su medio siglo. En la parca y estricta tradición de las letras de mi país, ese momento se distingue por una mayor conciencia crítica del lenguaje y cierto proyecto de diálogo con el mundo tal vez más coherente y lúcido, aunque sin duda menos creador que el de los grandes volcanes de la década del veinte: Huidobro, de Rokha, Neruda y —un poco antes— la Mistral; más la presencia inmediata, geológica y geográfica, de otros dos grandes animales poéticos sudamericanos: Borges, de Buenos Aires, y Vallejo, del Perú. Teníamos 21 años ese 38 y no era poco el desafío. Nuestro intento fue asumir ese legado con dignidad y contribuir a desaldeanizar a Chile o a "desmapochizar el Mapocho", río descolorido, aprendiz más o menos servil del Sena desde cuyas márgenes soñó sin embargo Rubén Darío su gran sueño al cierre del otro siglo.

Curiosamente, en este minuto de tantas y tantas efemérides, mientras Berlín está cumpliendo sus 750 años, nosotros conmemoramos allá abajo el primer centenario de *Azul*, publicado en Valparaíso en 1888, al tiempo que nos duele el martirio de Vallejo en París, justo en aquel 38, hace otros cincuenta años. Minuto aquel sintomático y crítico como pocos: aún ardía la Guerra Civil Española que nos entregara otra imagen de la península, la de la madre ensangrentada, mientras avanzaban los totalitarismos sobre el mundo, y, en el horizonte inmediato del país, el Frente Popular asumía el poder político. Minuto por otra parte irrisorio, en cuanto presumíamos estar curados de cualquier peste fascista o dictatorial, y hasta nos envanecíamos de eso, en circunstancias de que tal vez nunca antes, hasta esa fecha por lo menos, el militarismo nacional estuvo mas próximo al cuartelazo con un proyecto de insurrección a lo Franco.

Lo cierto es que la mejor juventud de esos días hizo suyo el propósito de una mudanza en profundidad de ese Chile a medio andar, cívico por fuera y sinuosamente faccioso por dentro. En ese juego de contrastes me crié: entre la República Socialista de 1932 que duró cien días y el *peso de la noche*, como dijera Diego Portales un siglo atrás. Numerosos fueron los grupos literarios jóvenes surgidos en el plazo del 38 con sus respectivas revistas; y el signo caracterizador fue la polémica en todo: de lo estético a lo ideológico. Pero fueron dos (dos entre esos diez o doce grupos) los que polarizaron el ánimo de una auténtica autonomía cultural, en un salto de veracidad hacia nosotros mismos, como ya lo intentaron en 1842 los jóvenes orientados por Bello y por Sarmiento. Con ese mismo espíritu, y mucho antes del "boom", llevé adelante los Encuentros Nacionales e

Internacionales de Escritores entre 1958 y 1962 para proyectar la imagen y la realidad de nuestra América desde un diálogo abierto.

Vuelvo atrás en el ejercicio testimonial. Esos dos grupos fuertemente contrastados, con un mismo impulso renovador, fueron: a) El Grupo Angurrientos —del vocablo "angurria", tan usado por nuestro pueblo—; "angurrientos" como quien dice "hambrientos" o "hambreados" de genuinidad, más allá de cualquier exotismo y cualquier criollismo pintoresco; y b) El Grupo Mandrágora, al amparo del mito de la planta prodigiosa capaz de la máxima vivacidad y transfiguración, con eje en el surrealismo parisino aunque de airecillo disidente. Justo por lo disidente me inscribí en ese equipo y me aparté al cabo de un año cuando se sometió por entero a la ortodoxia discutible. Para qué decir que el estado de cosas estético de París no era ni podía ser el de Santiago. A Breton vine a conocerlo mucho más tarde, en enero del 53, en su legendario piso de la Rue Fontaine, quatriéme étage, a droite. Lo que me hartaba del grupo mandragórico era su afrancesamiento literatoso y su falta de genio, por qué no decirlo, aunque —a escala del Chile de esa época—, debo reconocer que el pequeño conjunto era el más desinhibido y el más letrado. ¿Quiénes lo componían? Braulio Arenas, que murió hace un mes aunque de hecho se nos había muerto el 73 cuando cambió la centella surrealista por un mísero Premio Nacional; Enrique Gómez-Correa, airoso ayer y hoy lastimado sin piedad en su silla de ruedas; Teófilo Cid, quemado temprano en su propio alcohol; yo mismo; Jorge Cáceres, el más veloz, infartado a los 25; y alguno otro de rostro borroso. Todo ello sin considerar al único surrealista con estrella, de nuestro Chile: el pintor Roberto Matta de renombre universal, que corrió solo su riesgo con grandeza; ni a María Luisa Bombal, figura mayor de la exploración onírica en nuestras letras.

Trabajábamos duro desde una conciencia que no se perdonaba a sí misma y ello nos exigió una formación estricta. Tal vez la proximidad y la sombra de Huidobro limitó las posibilidades aunque, por otra parte, nos dio a beber la vanguardia en una fuente fresca. ¿Cómo olvidar que él fue protagonista primordial en la vanguardia parisina? Me gustaba ir a la casa de Vicente mucho más que asistir a mis cursos en la vieja facultad de filosofía y letras. Recuerdo un día cualquiera de ese 38; una mañana, como a las 11. Llegue ahí sin llamar, a ese piso de la Alameda, como solíamos hacer sus jóvenes amigos, y me instalé a hojear *La Révolution Surréaliste*, *Minotaure* o alguna de esas revistas que hoy se venden a precio de oro, muy envasadas y encuadernadas; publicaciones que entonces sólo llegaban a la casa de Huidobro en Santiago. Ahí estaba viendo todo eso y los auténticos Picasso, Juan Gris, Miró, Ernst o Arp próximos a los ventanales, cuando apareció con su frescor el poeta: —Qué tal, muchacho. —"Vine a leer un poco aquí", le dije. Parece que me aburría esta mañana oyendo la lección, y es que el profesor no entra en Ovidio, y se queda en la periferia de la sintaxis. —¿Ovidio?, ironizó él. ¿No les he dicho que la imaginación poética de hoy es hermana de la imaginación científica, y hay que ir a la física nueva, a la bioquímica, a la astronomía, a la matemática alta; y olvidar las retóricas de los carcamales? —"Muy Vicente Huidobro serás tú, díjele con desparpajo, pero lo que pasa es que no leíste nunca ni esta elegía romana ni a ningún clásico. Vives pontificando sobre la imagen y todo lo aprendiste en Réverdy.

Inmutable, mirándome a los ojos con el magnetismo de los suyos, no me dijo nada y se puso a pasear por la habitación mientras iba repitiendo de memoria a media voz el viejo ritmo de hace dos mil años:

> *"Cum subit illius tristissima noctis imago*
> *quae mihi supremun tempus in urbe fuit,*
> *cum repetto noctem qua tot mihi cara reliqui*
> *labitur ex oculis tunc quoque gutta meis".*

Callé avergonzado, y hablamos de otra cosa. No he conocido a otro que sembrara más libertad en mi cabeza.

También solía visitar en otros barrios distantes y proletarios (Independencia abajo, La Cisterna) a Pablo de Rokha —seudónimo de Carlos Díaz Loyola— que ya el 22 había escrito un volumen desmesurado de visión y de páginas, en formato mayor, con el primer injerto de expresionismo en nuestra poesía y mucho, mucho tremendismo. Curiosamente ese mágico 1922 César Vallejo estaba publicando *Trilce* en Lima, obra maestra contraria a todo exceso expresivo y a todo énfasis. Neruda lo odiaba a de Rokha y éste le respondió toda su vida con pareja odiosidad, como ocurrió entre algunos de los grandes españoles del XVI y el XVII. Han pasado las décadas y la germinación rokhiana no termina. Personalmente creo que, desaforado y todo, e informe, fue el primer demoledor del postmodernismo entre nosotros y el progenitor de esa ruralidad y esa elementalidad trascendida, con cierto enfoque primordial y cosmogónico, desde sus versos iconoclastas de 1915; o —por lo menos— el gran adelantado en cuanto a registrar el trauma primario de lo natural, visión compartida y afinada, como se sabe, por la Mistral en la sección *Materias* de su libro *Tala* (1938) publicado en Buenos Aires y por el joven Neruda de *Residencia* (1925-1935) en sus célebres *Tres Cantos Materiales*. El que no me crea que lea; pero que lea bien. Desigual y ciertamente enfático, de Rokha no alcanzó la plasmación como Neruda, pero él es nuestra levadura primigenia y, pedregoso como fue, mantuvo su fidelidad a la piedra de Chile. Su temple anarco lo llevó a toda clase de infortunios y fue el marginado de los marginados, pero libros como *Epopeya de las comidas y las bebidas de Chile, Elegía del Macho Anciano, Heroísmo sin alegría, U, Escritura de Raimundo Contreras,* son libros necesarios. Además, y con décadas de anticipación, vaticinó la caída del Chile clásico y democrático en su libro *La República asesinada*. Me honro, pues, en nombrar aquí al más desconocido de nuestros "cosmogonautas", lo que se llama un "veedor" del mundo. Neruda es demasiado conocido —y aquí en Alemania todos saben hasta sus últimos pormenores biográficos y bibliográficos—; y ya es tópico exaltar el genio de su intuición y su lenguaje en los dos volúmenes verdaderos de *Residencia en la Tierra* (1925-1935), obra de fundamento como dijo Lorca cuando lo presentó en el Ateneo de Madrid en 1934: "un poeta más cerca de la sangre que de la tinta, un tono descarado del gran idioma español de los americanos que lo enlaza a la fuente de los clásicos." Por mi parte doy fe de ese juicio lorquiano: yo tenía 16 cuando cayó en mis manos el gran libro y aunque no entendí con seso lógico ese vislumbre del caos, esa ambigüedad que hacía trizas los espejos de la exactitud, recibí el estremecimiento de lo genuino. Por ese mismo plazo de mi adolescencia y gracias a un maestro alemán de apellido Jünemann que me enseñó a leer por dentro el Mundo y contribuyó como nadie a mi formación, yo estaba en trato con los clásicos de la antigüedad greco-romana y, por supuesto, con los españoles de la edad de oro; y simultáneamente con Rimbaud, Mallarmé, Lautréamont, Laforgue, Apollinaire; de suerte que si por la oreja derecha me entraba lo áureo de la clasicidad, por la oreja izquierda lo hacía la modernidad, produciéndose así en la punta de mi cabeza de muchacho otra música y otro vértigo, otro cruce de zumbido y de sentido, otra ventolera, otra síntesis. Tal vez por eso mismo no me he desarrollado gran cosa desde entonces y me he restado siempre a la fascinación de las modas que se arrugan, presuntuosas de una originalidad que no pasa de originalismo. Pienso que si en alguna medida puede hablarse de originalidad, ella debe verificarse en el lenguaje y no en los alardes de invención. La poesía se hace con palabras, querido Mallarmé, y no con hechos o situaciones; o buenas intenciones.

Por eso me gustaba la Mistral en sus claves mayores de *Tala* y de *Lagar* que, habiendo vivido en el plazo de las vanguardias, no se encandiló con las vanguardias sino más bien se quedó oyendo sin prisa la lengua oral de sus paisanos de América con arcaísmos y murmullos como Teresa de Ávila, y así nos dijo el mundo entre adivina y desdeñosa. Mis compañeros del 38 se burlaban y, sin leerla, le decían vieja novecentista y retardataria; pese a que ese mismo año se estaba publicando en Buenos Aires *Tala*, una obra maestra. Me divierten los críticos profesorales y sabihondos, anestesiados por su metódica esquemática, incapaces de entrar en la trama viva e imaginaria, que insisten en proscribirla y hasta en negarla a la Mistral. Y es que no quieren distinguir en nuestra fundadora el oficio lateral de enseñar del oficio mayor de escribir y de apostarle la palabra al Mundo. Como yo mismo todavía sigo enseñando y conozco el remo del galeote, siempre supe establecer el deslinde. Alguna vez en mis años mozos, coincidí con la experiencia de silabear el mundo con los niños de nuestra América oscura y enseñé a leer a los míos lo mismo que Sarmiento y que Vallejo, lo mismo que la Mistral, en el momento justo en que lo dejé todo por hartazgo. Hartazgo de un Santiago-capital-de-no-sé-qué-; de un surrealismo libresco, de una facultad de letras irrisoria (irrisoria en esos días para mí); del ruido y de la furia. Hartazgo en fin de la publicidad vergonzosa. Me dieron un trabajo Atacama adentro, en la Sierra de Domeyko cuya mayor altura pasa de los 3.000 metros y allí fundé mi dinastía en la ventolera de esas nieves. Por ahí o más abajo pudo haber entrado en 1535 Diego de Almagro, el primer hombre blanco, a nuestro Chile. En alguna medida lo aposté todo como él, y lo perdí. Como ha de hacer el poeta. Perder y no andar ganando la gloriola, el aplauso. Los cicateros de Mandrágora me fueron a acusar ante Huidobro, ¿saben ustedes de qué? De tránsfuga de la poesía y buscador de tesoros en esos cerros. —"Déjenlo, les dijo él riendo. Gonzalo es un loco que necesita cumbre".

Aún recuerdo las cordilleras deslumbrantes de El Orito que todavía andan conmigo por el mundo y a esos 200 mineros analfabetos que me enseñaron casi tanto como las estrellas. Analfabetos pero con un portento imaginario y un pensamiento mágico que no vi nunca en los poetas más pintados.

Qué Mandrágora ni qué surrealismo. Cierta vez pensé que también era bueno enseñarles a ellos —después de su trabajo— de noche, a la luz de las lámparas de carburo, después de los turnos sudorosos. Algunos se interesaron y como yo no disponía de material didáctico sino de unos pocos libros amados que alcancé a meter en mi maleta en el adiós a Santiago, aproveché unos textos de los filósofos presocráticos para jugar el juego de las vocales y las sílabas. Les leí algunos fragmentos y ellos prefirieron los de Heráclito. Así fue cómo, en plena edad juvenil, y en mi largo aprendizaje de poeta que no termina aún después de tantas décadas, vine a cumplir faenas de apir alfabetizador entre las altas nieves de Chile enseñando a leer en el silabario de Heráclito.

Me conozco el exilio, pero también el intraexilio y eso es bueno para un poeta. Cuando el 42 me fui por esos cerros, mientras tronaba al fondo de esas moles andinas la 2.ª guerra mundial, no lo hice por turismo literario sino para siempre; y además de para siempre lo hice a la siga de mí mismo y en busca de mi padre. Me dejé llevar por el viento, y el viento sabe. ¿Quién que *es* no *es rulfiano* en nuestra América? Soy hijo de minero, de minero más bien acomodado, pero minero al fin. Mi padre cortó vetas de carbón al empezar el siglo frente al Golfo de Arauco. Murió temprano el hombre, a un milímetro siempre del gas grisú como todos los mineros. A eso fui cerro arriba, como dijera Rulfo: en busca de mi padre. No es que sea un poeta genealógico pero creo en la genealogía de los laberintos; en la genealogía de la geología, y amo las piedras.

Me falta tiempo para hablar de Vallejo; de Borges para hablar. No estoy por la originalidad que me parece un abuso, y eso ya lo advertí. Por lo que estoy más bien es por el rescate como dijo de mí Cortázar una vez. Registro la parentela de la sangre imaginaria y reconozco que soy parte del coro. Por eso no me duele lo que Harold Bloom llama "la angustia de las influencias". ¿Influencias de qué? Vallejo, por ejemplo, me dio el despojo y desde ahí el descubrimiento del tono; Huidobro, acaso, el desenfado; Neruda cierto ritmo respiratorio que él a su vez aprendió de Whitman y en Baudelaire, pero yo gané el mío desde la asfixia. ¿Y Borges? El rigor, "*l'ostinato rigore*" que dijo Leonardo. Y el desvelo. Un desvelo lúcido al que se llega sin prisa, por incesante crecimiento. Es que todo es nuevo. Para el oficio de poetizar desde el asombro, todo es nuevo.

¿Cúando empecé a escribir? Temprano, muy temprano. Mucho antes del 38. Me zumbaban las líneas en las orejas y las iba anotando, anotando al vuelo, casi como ahora. Tenía una liturgia secreta y no sé cómo se me impuso, pero me funcionaba bellamente. Surrealista "avant la lettre", allá por los 18 disparaba un cuchillo contra una tabla rústica que me servía de mesa de trabajo; cuchillito liviano y vibrador, de punta acerada. Si entraba hondo en la madera, quería decir que la concentración expresiva estaba a punto, y empezaba a escribir; si se desviaba o resbalaba, lo dejaba todo y me iba a pasear.

Ya termino: ¿y mi visión de mundo? Tres son, por lo menos, mis vertientes: la numinosa en el sentido de *Das Heilige*; la erótica y toda la dialéctica del amor; la del testigo inmediato de la vida inmediata [aunque Celan diga que "nadie atestigua a favor del testigo"]. Incluyo en eso el ejercicio del testigo político, pero sin consigna. A lo mejor debiera uno callarse. Pero no. Todavía no. Por lo menos todavía no. Estoy viviendo un reverdecimiento en el mejor sentido, una reniñez, una espontaneidad que casi no me explico. Es como si yo dejara que escribiera el lenguaje por mí. Parece descuido, y es el desvelo mayor. Estoy dejando que las aguas hablen, que suban las aguas, y que ellas mismas hablen.

¿Alcanzaremos a leer, alguna vez, algo de mi poesía? Sé que hay oyentes, lectores y hasta estudiosos que ya no quieren mucho con la palabra poética y les basta con la nueva narrativa latinoamericana, de fulgor indiscutible. No veo la querella.

Dejemos que sibilen las serpientes, como dijo Apollinaire.

G. R.

LA VIRUTA

De unos años a esta parte veo una viruta de luz
a la altura de la fosa izquierda entre la aleta
de la nariz y el ojo, de repente
parece obsesión pero no es obsesión, le hablo
y vuela, por el fulgor
es como un cuchillo. No, no es mariposa, tiene algo
de mariposa pero no es mariposa.

Se instala ahí y duerme, por horas
vibra como cítara, entonces
es cuando recurro al espejo. —A ver, espejo,
le digo, discutamos
esto de la mancha fosfórica. Se ríe el espejo,
me hace un guiño y se ríe el espejo.

Son las privaciones, todo tiene que ver con las privaciones.
Al año de nacer, ya uno quiere irse, la pregunta es adónde
y ahí mismo empieza el juego
de la traslación. Quiero que este ojo sea mano,
patalea uno, pero que no sólo sea mano, que sea aire, eso es
lo que quiero, ser de aire. ¿Cómo el agua
que está en las nubes es de aire?

Así es como se explica la viruta, es que no hay vejez, no
puede haber vejez, venimos llegando.
Donde llegamos, a la hora que sea, venimos llegando.
Cuando lo apostamos todo y lo perdemos venimos llegando.
Al amar, al engendrar venimos llegando, al morir
escalera abajo venimos llegando.

Todo eso sin insistir en la persona, ¿qué es la persona?
¿Quién ha visto a la persona? Claro, hay una cama
y alguien durmió ahí, un poco
de sangre en la ventana, un hoyo
en los vidrios y a un metro, en su letargo, el espejo: el gran espejo
que no tiene reflejo.

ME LEVANTO A LAS 4

Me levanto a las 4 a ver si todavía hay aire, si hay
piedra con aire, por disciplina carcelaria me enderezo en
dos velocidades, por convicción, de un salto
me enderezo, ¿y saben con quién
me encuentro al abrir la calle? Con Magdalena,
con Magdalena es con lo primero que me encuentro
llorando. —¡Entre!, le digo
no esté usted afuera sacrificada. Ya no hay
siete demonios en su cuerpo.

Me
mira, tal vez
me mira, tal vez me compara
con el Otro, se aparta a su cerrazón, pero esta vez
no se trata de una aparición vestida como la veo en ese
estado de gracia que sale casi desnuda
de sus pies sino de la mismísima hebraica
loca y milenaria con el pelo suelto bajo
el disfraz de esa gran gata blanca, blanquísima,
perdida en la noche, malherida
de amor.

EN CUANTO A LA IMAGINACIÓN DE LAS PIEDRAS

En cuanto a la imaginación de las piedras casi todo lo de carácter
copioso es poco fidedigno:
de lejos sin discusión su preñez animal es otra,
coetáneas de las altísimas no vienen de las estrellas,
su naturaleza no es alquímica sino música,
pocas son palomas, casi todas son bailarinas, de ahí su encanto;
por desfiguradas o selladas, su majestad es la única que comunica
con la Figura,
pese a su fijeza no son andróginas,
respiran por pulmones y antes de ser lo que son fueron máquinas
de aire,
consta en libros que entre ellas no hay Himalayas,
ni rameras,
no usan manto y su único vestido es el desollamiento,
son más mar que el mar y han llorado,
aun las más enormes vuelan de noche en todas direcciones y no
enloquecen,
son ciegas de nacimiento y ven a Dios,
la ventilación es su substancia,
no han leído a Wittgenstein pero saben que se equivoca,
no entierran a sus muertos,
la originalidad en materia de rosas les da asco,
no creen en la inspiración ni comen luciérnagas,
ni en la farsa del humor,
les gusta la poesía con tal que no suene,

no entran en comercio con los aplausos,
cumplen 70 años cada segundo y se ríen de los peces,
lo de los niños en probeta las hace bostezar,
los ejércitos gloriosos les parecen miserables,
odian los aforismos y el derramamiento,
son geómetras y en las orejas llevan aros de platino,
viven del ocio sagrado.

ACTO DE PINTAR

Humo y música y algo de la estridencia del vidrio
en la palpación aérea para llegar
al número
no cierto pero infinito donde la uva da su duración
de sangre,

cuerdas,
sobre todo muchas cuerdas con el improviso simultáneo
de quién sabe quién en la trama del pensamiento de color
últimamente ciego sube que sube por cuál de
las escaleras, physis
en fin de todo el cuerpo a la vez
de modo que sea el viento y no la mano
lo que arda en el torbellino, sin olvidar
el sosiego del aceite.

Más pausado fuera pintar con tierra
como Matta, con vieja tierra salobre
de suerte que el arco le diga sí al ámbar del caos vertiginoso y
venga
el Pie y hable
y además perdure.

LAS ADIVINAS

Cada piel se baña en su desnudez, la Juana
se baña en su desnudez
salada, la prima de la Juana
sin más música que la de su pelo, la madre
de la Juana aceitosa
y deseosa como habrá sido, las cerradas
y las adiestradas de la casa de enfrente, las perdidas
y las forasteras sin mancha, las vistosas
de seda y organdí de 6
a 7 se bañan.

En hombre es como adelgazan su figura, en olor de hombre
se paran en las esquinas, anclan
en los bares de los suburbios, fuman un tabaco
religioso para airear la Especie, son
blancas por dentro y guardan
una flor que preservan por penitencia, la Urbe
es la perdición, ellas no son la perdición, nadan
en la marea de los taxis de Este a
Oeste, conocieron
los laberintos de Etruria mucho antes que Roma,
mucho antes.

Además son locas, dejan
corriendo el agua y ríen, sangran
y ríen, se amapolan
y ríen, cuentan las sílabas
de los meses y ríen, bailan
y ríen, se perfuman, se
desperfuman y ríen, sollozan
y ríen, adoran la vitrina.

Lo que pasa es que no
duermen y andan todas ojerosas
por muy fascinadas e imantadas de un cuerpo a
otro cuerpo en un servicio
casi litúrgico de ablución
en ablución y eso cansa
de Nínive a New York siglos y
siglos, desvestirse y
vestirse de precipicio en precipicio cansa, predecir
la misma carta del naipe en la misma convulsión
de hilaridad en hilaridad en el mismo
abismo del orgasmo cansa.

Preferible salir rápido de la fiesta, comprar
diez metros de oro de alambre de ébano
y marfil en el mercado
polvoriento: con ese alambre
y ese polvo hacer un reloj

de polvo, quemar
encima incienso propicio al vaticinio, dejar
que eso se seque, no importa el humo, las
pestañas. Toda puta
resplandece. La
Juana y su parentela no son
las únicas. Baudelaire
vio por dentro a Juana.

LAS SÍLABAS

Y cuando escribas no mires lo que escribas, piensa en el sol
que arde y no ve y lame el Mundo con un agua
de zafiro para que el ser
sea y durmamos en el asombro
sin el cual no hay tabla donde fluir, no hay pensamiento
ni encantamiento de muchachas
frescas desde la antigüedad de las orquídeas de donde
vinieron las sílabas que saben más que la música, más, mucho
más que el parto.

OFICIO MAYOR

Algunos árboles son transparentes y saben hablar
varios idiomas a la vez, otros algebraicos
dialogan con el aire al grave modo
de las estrellas, otros
parecen caballos y relinchan,
hay
entre todos esos locos tipos increíbles
por lo sin madre, les basta el acorde
de la niebla.

De noche pintan lo que ven, generatrizan y
divinizan otro espacio con otro sexo distinto
al del Génesis, cantan
y pintan a la vez más que el oficio
de la creación el viejo oficio
del callamiento

ante el asombro, amarran la red
andrógina en la urdimbre
de un solo cuerpo
arbóreo y animal resurrecto
con los diez mil sentidos
que perdimos en el parto;
entonces
somos otro sol.

TABLA DE AIRE

Consideremos que la imaginación fuera una invención
como lo es, que esta gran casa de aire
llamada Tierra fuera una invención, que este espejo quebradizo
y salobre ideado a nuestra imagen y semejanza llegara
más lejos y fuera la
invención de la invención, que mi madre
muerta y sagrada fuera una invención rodeada de lirios,
que cuanta agua
anda en los océanos y discurre
secreta desde la honda
y bellísima materia vertiente fuera una invención,
que la respiración más que soga y asfixia fuera
una invención, que el cine y todas las estrellas, que la música,
que el coraje y el martirio, que la Revolución
fuera una invención, que esta misma
tabla de aire en la que escribo no fuera sino invención
y escribiera sola estas palabras.

PARECE QUE DE LO QUE MUERE UNO ES DE MANIQUÍ

Parece que de lo que muere uno es de maniquí
asustado en la vidriera, inmóvil
y horizontal con ese descaro
como si uno no fuera el que es bajo los claveles
y los gladiolos de alambre
por lo equívoco de las luces;
extraña sal
parece entonces que se apodera de uno
de las uñas a los párpados, se
crece por resurrección fosfórica.
Circunstancias
adversas impídenme concurrir.

EL SEÑOR QUE APARECE DE ESPALDAS

El señor que aparece de espaldas no es feliz, ha ido
varias veces a Roma pero no es feliz, ha
meado en Roma y no tiene por qué ocultarlo pero no es feliz,
    ha desaguado
a lo largo de Asia desde los Urales a Vladivostock pero no es
    feliz, en
excusados de lujo en África pero no es feliz, encima de los aviones
vía Atenas pero no es feliz, en espacios
más bien reducidos lluviosamente en Londres al lado
de su mujer hermosa pero no es feliz, en las grandes playas de
América precolombina pero no es feliz, con un diccionario etrusco
y otro en alemán desde las tumbas Ming a las pirámides
de Egipto pero no es feliz, pensando en
cómo lo hubiera hecho Cristo pero no es feliz, mirando
arder una casa en Valparaíso pero no es feliz, riendo en
    New York de
un rascacielo a otro pero no es feliz, girando a
todo lo espléndido y lo mísero del planeta oyendo música en barcos
de Buenos Aires a Veracruz pero no es feliz, discutiendo
por dentro de su costado el origen pero no es feliz, acomodándose
no importa el frío contra la
pared aguantando todas las miradas
de las estrellas pero no es feliz

el señor que aparece de espaldas.

DEL SENTIDO

Muslo lo que toco, muslo
y pétalo de mujer el día, muslo
lo blanco de lo translúcido, U
y más U, y más y más U lo último
debajo de lo último, labio
el muslo en su latido
nupcial, y ojo
el muslo de verlo todo, y Hado,
sobre todo Hado de nacer, piedra
de no morir, muslo:
leopardo tembloroso.

FUELLE DEL CIGARRILLO

(Lentissimo)

No fumo pero hago la exégesis del cigarrillo que es como un
capullo de hilo
venenoso y umbilical por donde el desplacentado
gime su gemido
de ser átomo en el gran peligro, fuera de la valva, sinuoso
de tos y como poseso y al mismo tiempo arrepentido
del aroma del Uno que hay en uno, a modo
de arca o circunvalación con asfixia que estrangula
a ritmo pausado los alvéolos
desaforados y roncos como cuando el vagido
natal y primordial, a no mediar el
maleficio del humo bajo el cual
anda el cangrejo que no perdona.

DOS SILLAS A LA ORILLA DEL MAR

La abruma a la silla la libertad con que la mira
la otra en la playa, tan adentro
como escrutándola y
violándola en lo abierto
de la arena sucia al amanecer, rotas las copas
de ayer domingo, la abruma
a la otra
la una.

Palo y lona son de cuanto fueron
anoche en el festín, palo y lona
las dos despeinadas que a lo mejor bailaron blancas
y bellísimas hasta que la otra
comió en la una y la una
en la otra por liviandad y vino Zeus
y las desencarnó como a dos burras
sin alcurnia y ahí mismo
las filmó hasta el fin del Mundo tiesas, flacas,
ociosas.

DEL CUBISMO COMO SERPIENTE

Fondo a fondo nada ha sido escrito aún y el planeta
lleno de ruido habráse estado vaciando
cabeza abajo
generación tras generación,
Apollinaire
por ahí,
Picasso, buzos
sigilosos.
Nariz,
¿qué hicimos?, pie izquierdo
¿dónde fuimos a parar?

NO HAYA CORRUPCIÓN

Obstinado de mí no habré podido avanzar un metro lerdo
de burro
de Atacama a Arizona, malparado
y equivocado bajo las estrellas, sin otro pasto
que los peñascos de las cuestas, ni más aire
que el de mis costillas, ni más orejas
que lo que fueron mis orejas, equivocado,
lo que se dice equivocado.

No di con el hallazgo, se juntó todo,
el viernes llovió, de modo que el reparto de las aguas
subió de madre, a Pablo
le tocó casi toda la costa, excluyendo el sector alto de las nieves
que eso es entero de Vallejo
hasta los confines, Huidobro
muy justo exigió el deslinde sur del encantamiento
más los pájaros, muerto Borges
cambió su virreinato del Este por una sola hilera de libros,
del que no se supo más nada
fue de Rulfo.

Así las cosas quién va a andar
a la siga de qué, por cuáles cumbres. Entonces
llamé a mi animal como apacentándolo hacia
otra paciencia más austera: —Distráete, animal,
le dije, záfate de tu persona, deja
que el placer te bañe, no haya
corrupción.

MATERIA DE TESTAMENTO

A mi padre, como corresponde, de Coquimbo a Lebu, todo
el mar,
a mi madre la rotación de la Tierra,
al asma de Abraham Pizarro aunque no se me entienda un tren
de humo,
a don Héctor el apellido May que le robaron,
a Débora su mujer el tercero día de las rosas,
a mis 5 hermanas la resurrección de las estrellas,
a Vallejo que no llega, la mesa puesta con un solo servicio,
a mi hermano Jacinto, el mejor de los conciertos,
al Torreón del Renegado donde no estoy nunca, Dios,
a mi infancia, ese potro colorado,
a la adolescencia, el abismo,
a Juan Rojas, un pez pescado en el remolino con su paciencia
de santo,
a las mariposas los alerzales del sur,
a Hilda, l'amour fou, y ella está ahí durmiendo,
a Rodrigo Tomás mi primogénito el número áureo del coraje y
el alumbramiento,
a Concepción un espejo roto,
a Gonzalo hijo el salto alto de la Poesía por encima de mi
cabeza,
a Catalina y Valentina las bodas con hermosura y espero que
me inviten,
a Valparaíso esa lágrima,

a mi Alonso de 12 años el nuevo automóvil siglo XXI listo para
el vuelo,
a Santiago de Chile con sus 5 millones la mitología que le falta,
al año 73 la mierda,
al que calla y por lo visto otorga el Premio Nacional,
al exilio un par de zapatos sucios y un traje baleado,
a la nieve manchada con nuestra sangre otro Nürenberg,
a los desaparecidos la grandeza de haber sido hombres en el
suplicio y haber muerto cantando,
al Lago Choshuenco la copa púrpura de sus aguas,
a las 300 a la vez, el riesgo,
a las adivinas, su esbeltez,
a la calle 42 de New York City el paraíso,
a Wall Street un dólar cincuenta,
a la torrencialidad de estos días, nada,
a los vecinos con ese perro que no me deja dormir, ninguna
cosa,
a los 200 mineros de El Orito a quienes enseñé a leer en el
silabario de Heráclito, el encantamiento,
a Apollinaire la llave del infinito que le dejó Huidobro,
al surrealismo, él mismo,
a Buñuel el papel de rey que se sabía de memoria,
a la enumeración caótica el hastío,
a la Muerte un crucifijo grande de latón.

PITAGÓRICO

Entre la música de las esferas y el acabo de Mundo me voy con
los cosmonautas
a otra circunvolución con vuelco de fortuna
más propicio, salgo a las 7
a la siga de la Abeja Grande
en el éxtasis
de la niñez,
con mi desnuda, el pelo suelto,
los pies velocísimos,

firmado: yo cerebro de féretro
nacido rey, lector en griego
del abismo.

DE UNA MUJER DE HUESO
DE LA QUE QUISE ESCAPAR

De una mujer de hueso de la que quise escapar
blanca por más señas, viciosilla
y a la vez virtuosa de escondrijo
guardo este pétalo
pintado
con ojos verdes,
lo flaco
iba por dentro de su cutis como un silbido
muy distinto,
la olorosaba
milímetro a milímetro, difícilmente
me apartaba.

Perniciosa de sal reía en la alfombra: —Alahé
me decía, ande música.
Por mi parte entraba en
su pelo, recordaba otro laberinto
con serpiente así,
difícil-
mente me apartaba.

Alemana con andaluza era su belleza arterial,
alemana con andaluza: ventisca de palomas,
y en cuanto a arrullo o piel toda
su piel era arrullo, empezaba
a entrar en juego hasta escandir
éxtasis otro aroma
enloquecedor;

por amor
me apartaba.

POIETOMANCIA

—Abra bien la izquierda, estire el pulgar hacia afuera; todo
está escrito por el cuchillo: libertinaje
y rigor, los días inmóviles
y los turbulentos en esa red; la tristísima
muchacha llorando; la identidad
del uno en el tres, ¿comprende?; larga infancia
con estrella rota; viajes, para qué tanto
viaje y viaje; aquel accidente esa noche
de Madrid; honores, muchos honores,
golpes de timón; un gran castigo
hasta sangrar, qué manera de sangrar; cambios otra vez
con la protección de Júpiter, siempre Júpiter; crecimiento
hasta lejos en los dos hijos; aquí está el derrame,
cierre esa mano de loco, cerebral.

LA COSTA

Un tío mío que murió de resurrección (Borges)
es al que más veo en el aire, se me aparece
al menor descuido
con una carta en la mano, ¿qué habrá
en esa carta?

Lo cruel es la voladura, voy a
hablarle, a
preguntarle algo y adiós;
queda el hueco no más de él sin aura
con este frío.

Toco entonces mi corazón y es el cajón
el que resuella, ánimo
me digo, total no hay irreparable
y al oleaje coraje, remo
y más remo.

Lo que más veo en esta costa es agua
al revés de lo que siento,
vaivén y agua, unas rocas
repentinas, dos o tres barcas
con muertos.

DE LO QUE CONTESCIÓ AL ARCIPRESTE CON LA SSERRANA BICICLETA E DE LAS FIGURAS DELLA

La habría el Arcipreste amado a la bicicleta
con gozo nupcial, la habría en cada cuerda acariciado,
deseado por vedette piernilarga en el carrousel
de aqueste gran fornicio que es la Tierra, profundizado
con ciencia de aceite por
máquina suntuosa, pedaleado hasta el paroxismo
olor a fucsia en la fermosura de la moza.

Montado así en arrebato tan desigual cómo hubiérala
nadado con arte esquivo haciendo uno
timón y manubrio sin saber por dónde desembarcar,
alazana como es la imantación de la seda
entre rueda y muslo, cómo
por medieval que parezca el gallo y la cresta
del mester del gallo, bodas
hubiera habido por el suelo de algún Don Arcipreste abrupto
que otrora
fuera carnal y sacramental, bodas con

extremaunción y alambre, bodas de risa
con misa y otras astucias, ¿quién lo manda
a desear la costilla de su prójimo, a verdear
con cualquier loca por ahí, a
andar viendo mujer en cada escoba

con joroba?, ¿aluminio
donde no hay más que exterminio?,
¿quería
maja? Bueno,
ahí tiene mortaja.

SALUDOS A TZARA

Tarde vine a saber que lo que no es aire
en poesía, ni rotación y traslación, son míseros libros
oliscos a inmortalidad, pura impostura
con *vernissage* y todo en la farsa
del agusanamiento general, llenos de hojas
donde no hay una en que leer las estrellas, una
encinta del Mundo, una tablilla fresca
ligeramente órfica.

PLAYA CON ANDRÓGINOS

A él se le salía la muchacha y a la muchacha él
por la piel espontánea, y era poderoso
ver cuatro en la figura de estos dos
que se besaban sobre la arena; vicioso
era lo viscoso o al revés; la escena
iba de la playa a las nubes.
¿Qué después
pasó?; ¿quién
entró en quién?; ¿hubo sábana
con la mancha de ella y él
fue la presa?
¿O atados a la deidad
del goce ríen ahí
no más su relincho de vivir, la adolescencia
de su fragancia?

MÚSICA LIGERA

Figúrense por ejemplo New York, ¿de dónde salió
New York?, ¿de una carreta de bueyes?
No vamos a confundir el río Lebu con el Hudson.
Pelen lo que quieran al Hudson
con Wall Street y todo y la farsa de los rascacielos
y sus monumentos al hambre pero no vamos a confundir
un cementerio de New York con cualquier otro
cementerio donde como en este caso
yace cualquier otro muerto.

COSMÉTICA

Con voz de hombre la bellísima libertina: —Coman
de esta vulva, hártense
de este equilibrio turbulento, jueguen a sangrar
cada mes esta germinación.
Aullaba
la loca ante el espejo, blancos
los pequeños pechos azules, la longilínea
y sus veinte años, lo borrascoso
de la música, mar
y mármol el latido, ese pelo
oloroso, esas axilas
rasuradas, el alhelí.
Vendrá la muerte,
tendrá sus ojos.

APLAUSOS DESPUÉS DE LA PONENCIA

Aplausos, largos aplausos para las dos tórtolas de mármol
de la glamorosa hermeneuta.

Pobrecilla, le
gusta, y si le gusta le gusta, aquí no está en discusión
eso, ni la celebridad de sus muslos, se trata
de algo mucho menos ilusorio. No, paloma: sin
semen en el cerebro no hay *krinein*.

INSTANTÁNEA

El dragón es un animal quimérico, yo soy un dragón
y te amo,
es decir amo tu nariz, la sorpresa
del zafiro de tus ojos,
lo que más amo es el zafiro de tus ojos;

pero lo que con evidencia me muslifica son tus muslos
longilíneos cuyo formato me vuela
sexo y cisne a la vez aclarándome lo perverso
que puede ser la rosa, si hay rosa
en la palpación, seda, olfato

o, más que olfato y seda, traslación
de un sentido a otro, dado lo inabarcable
de la pintura entiéndase
por lo veloz de la tersura
gloriosa y gozosa que hay en ti, de la mariposa,

así pasen los años como sonaba bajo el humo el célebre
piano de marfil en la película; ¿qué fue
de Humphrey Bogart y aquella alta copa nórdica
cuya esbeltez era como una trizadura: qué fue
del vestido blanco?

Décadas de piel. De repente el hombre es décadas de piel, urna
de frenesí y
perdición, y la aorta
de vivir es tristeza,
de repente yo mismo soy tristeza;

entonces es cuando hablo con tus rodillas y me encomiendo
a un vellocino así más durable
que el amaranto, y ahondo en tu amapola con
liturgia y desenfreno,
entonces es cuando ahondo en tu amapola,

y entro en la epifanía de la inmediatez
ventilada por la lozanía, y soy tacto
de ojo, apresúrate, y escribo fósforo si
veo simultáneamente de la nuca al pie
equa y alquimia.

OTROS SEMÁFOROS

Otros semáforos para evitar la colisión de los ataúdes:
las sandalias

de Sócrates después de
la cicuta, el párpado
pintado de Nerón, el pezón
de Agripina del lado izquierdo, el más erecto de Marylin,
uno

de los dedos de Safo con un brillante
enceguecedor, de Quevedo
el átomo del blanco día, un pétalo
de Emily Brontë, el luto
del murmullo, la
vuelta.

A lo que
habrá que agregar algo de llovizna
entre un poco de sol para que el carruaje
del Mundo no se desestibe pensando en el malestar
inconcluso de estas
ráfagas de realidad que son los caballos con
sus aparejos
a la velocidad del sonido.

ALETHEIA DEL FAISÁN

Aletheia de nunca ese faisán brillando encima de la nieve entre
el cemento
del patio y las uvas parado
en lo más verde de su azul pintado de esquizo
por el estupor medio congelado en su ocio, viéndolo todo
desde ahí, mirando mirando

como cuando aparece la aparición y uno mira
fuera y casi alcanza
a no sabe dónde y fosforece y oh velocísima
nariz por todas partes fosforece el
pájaro áureo.

Vino de Argos en lo más alto el faisán
de esos mástiles, fue polígamo.
Esto quiere decir que ahora mismo está viendo a toda la especie
de los dioses volando. Esto en la lengua de Jasón
quiere decir que va volando

y sin embargo está ahí intacto y
traslúcido en su plumaje de adivino
remoto. Que vio encima de las aguas a Cristo, que Lo vio:
y yo mismo escribo imantado.

COSTILLAS, REJAS DEL CORAZÓN

Costillas, rejas del corazón, ¿no
será tiempo de apostar el laúd
a otro diafragma?
¿A un diafragma por ejemplo sacro
y músico a la vez en tiempo de jazz que vuele
como aeroplano y no como ataúd, acróbata y
encendido, tan liviano
como un ángel pero más terrestre, con
otro argumento menos clínico?

Pero, ay, cuánta flaqueza cuesta, costillas, desencarnar
hombre de uno, pensamiento
de uno, cortar el grifo.

Admitamos con
todo el sinsentido del descaro: 70
son las aves que vuelan a las galaxias, 70 las
circunvoluciones de Bach, 70 los hemisferios
de Heráclito, ¿y ustedes?, entonces, ¿quiénes
son ustedes? Estaba
pensando en lo peligroso, de repente
estaba pensando en lo peligroso.

ENCUENTRO CON EL ÁNFORA

A Hilda, que la vio conmigo en Nanking.

Esta línea empieza con la filmación de esa navaja
de siete filos que bailaba como una diosa
de mármol en un mercado de la última
de las Babilonias: la recogí
entre los desperdicios del sueño, la arrullé
como a una paloma del Tigris, estaba sucia
y la lavé con mis besos.

Perdí a la sinuosa por mucho tiempo, nací de nuevo varias veces
en ese plazo, la busqué donde pude
más allá de todas las puertas, desde la Roma
del Imperio hasta el cielo convulso
de New York; volví entonces al Asia
por el Yang-Tsé, tan despierto
como para verla ahora, verla de veras:

¿dónde

sino en ese suntuoso Nanking
de un hotel perdido, liviana en la pureza
de su lascivia, profunda
en el frescor de su aceite de bronce,
dinástica en la proporción aérea
de la luz de Han, dónde sino ahí
podía estar,

ahí,
a mis ojos,
la velocísima
en su inmovilidad, la etrusca riente
invasora en su fragancia natural,
cegadora
ciega
en su equilibrio, bajo el disfraz
secreto
del ánfora?

Anagnórisis no es aleluya sino infinita
pérdida del hallazgo: adiós,
encanto encantante.
Cámara
para clausurar la escena.

LA FIGURA

Otro hueco con imantación para el extravío fue el vidrio
que vi en Chicago con la momia adentro, una momia
más bella que Bette Davis cuando nerviosa en
la mueca de la máscara de su esbeltez
aérea y hierática llameaba con sus grandes ojos fuera
del manicomio del museo del Mundo, egipcíaca y
casi salobre por lo oceánica, una materia primordial y nupcial que
manaba éxtasis y mujer arrebatada por lo mortuorio
de la quimera, muellemente acostada en
catre de aire con vestidura de lira.

¿Qué es catre entonces que no sea velocidad
de ver, vagido
de navegación contra las estrellas donde
uno de repente nace y muere
por azar? Me atengo al hecho de bronce como
los antiguos: paro el vértigo. Pinto
la figura y paro.

ALABANZA Y REPETICIÓN DE ELOÍSA

hija de Elohim, de quien
nadie sabe,
4 sílabas
4 galaxias,
y el destello
de Eloísa a propósito de alondra, Eloísa al amanecer
envuelta en ella misma durmiendo en
la belleza de su espinazo, Eloísa
vestida de verde, Eloísa
infradesnuda a los 20 años, sentada, a-
costada, Eloísa flexible
derramada como una copa, Eloísa
cerrada y por lo visto obsesa, Eloísa
ociosa de José Ricardo, airosa
y quebradiza de él, Eloísa
cortada en flor por la guerra, Eloísa infanta
piel de Lérida, alada al azar
en la ventolera del Winnipeg*, Eloísa
parada en la borda, anclada, alumbrada
por ella misma, Eloísa
posesa ojos castaños que hubieran sido los del éxtasis
de la mismísima Magdalena
de Ribera de Játiva de no ser

*Winnipeg: barco en el que llegaron a Valparaíso los refugiados de la Guerra Española, 1939.

el ser de Eloísa volando como saliendo a los 20, atrapada
en el rapto de aquesa España dulcísima y
tristísima fuera
de España, envuelta
en ella misma paseando sola
entre los arrecifes, durmiendo
en estas líneas,
diamantinamente
durmiendo.

VERSIÓN DE LA DESCALZA

—Desde que me paré y anduve tengo la costumbre de ser dos,
dos muchachas, dos figuraciones,
una exclusivamente blanca con pelo rojo en el sexo, la otra
por nívea exclusivamente blanca.

Nos llamamos Teresa, las dos nos llamamos Teresa
y sin parecernos estrictamente somos una,
nos acostamos y lloramos sin saber que lloramos
y al amanecer del agua de las dos sale una.

Pero no venimos de Lesbos ni hay fisura
psiquiátrica en cuanto al animal del desasimiento
glorioso que somos de tobillo a nuca:
lo que es dos
es dos y nosotras no pasamos de una.

Ahí tienen andariegos nuestros dos pies
fundadores y ensangrentados, moradores de una,
ahí las viejas orejas que igualmente son dos
cuya música alta es asimismo una.

Dicen que soy escandinava, tal vez
sea escandinava, ninguna
posesa así de Dios fuera en Castilla dos
y en la Escandinavia de las estrellas fuera una.

INFORME EN UNA NUBE DEL XVI

—"Llegamos con los animales pasadas las 3, los
amarramos como pudimos a las rocas
de la orilla para que el viento no los volara y en cuanto a nosotros
nos tapamos con piedras de esas suaves que no rajan
el pellejo;
abajo
lo que sonaba era el mar, lo
que más sonaba entre tanto desconsuelo, un
mar viejo con el ronquido que era casi
un estertor".

CARTA A DELFINA

1.– ¿Dónde
para que se oiga en todo Chile, Delfina, escribo
tu nombre
y se venga abajo
el pudridero?,
¿en este papel
parecido al hambre?, ¿en este
sollozo vergonzoso
que no se atreve?, ¿encima del balazo
que iban a darte en la nuca adentro
de uno de esos autos
vertiginosos?, ¿dónde,
Delfina?

2.– ¿O no más, Delfa, lo pongo sin precaución
al lado del de Roberto? Tú
lo viste por dentro a Roberto todo lo hombre
que fue hasta el fin con su prestancia
que era como elegancia;
¿o mejor
los junto a todos en el arco
del proscenio, los saco de perfil
desde el distanciamiento justo y echo así la
carta sin puntuación a Nissim, a

Pedro que duerme al sol en Caracas, seco
de escenario
con qué vestuario?

3.– para que ahí la lean tartamuda tal como va, Delfina,
sin que ninguno piense que hay omisión
por parte del loco: todos
vivimos como locos y hemos perdido el tiempo,
n'est-ce pas
Apollinaire?
y he-mos per-di-do el tiem-po:

agachados, ahumados, apercancados de norte a sur, de
sur a norte gaseados, meados, salvo el ICTUS
que aguanta el chaparrón, como puede aguanta el
chaparrón;
como buen pescado en el origen, por cruel
que sea el zarpazo, el
balazo.

4.– Ictus, mi Ictus. Dél
vinimos, de su temblor
de pez sigiloso vinimos nadándonos por dentro
hasta ser; después lo olvidamos,
flaqueamos y lo olvidamos,
dólar y más dólar lo olvidamos

5.– y lo lloramos, Delfina,

nunca

hubo otra adivina

más relámpaga, excusa

tanta ligereza con tristeza. Adiós;

parado

contra unos alambres de púa huelo el mar.

A NOVALIS

Sol, ¿y allá? ¿Es octubre
sobre los muertos?, ¿hay estrellas?
¿Cuatro
son como entonces las mudanzas del hombre
para ser?, ¿nacer, des-
nacer, esperar ahí en el aire
10.000 años, reaparecer
aquí durmiendo?

ALEMANIA EN EL SESO

Pasados los estragos del Gran Mal deposite 5 violetas
en copa áurea, vaya a Düsseldorf, retrátese
de espaldas contra el Rhin merced
al scanner, escuche
el sigilo de la serpiente, abra
hasta el fondo el precipicio
del ojo, deje
que todo eso se esfume, vaho
del augur, e
hipotálamo por mariposa de
un destello a otro cambie el Mundo, de
nacido a por nacer, enhebre
así olfato y revelación como quien salta el arco glorioso
de Hado a Madre, duerma
otra vez en la Madre.

PERRO EN UN VASO ETRUSCO

Miren a ese perro cómo limita en lo cuadrúpedo de su velocidad
y no en el discurso del ladrido paleolítico del
lobo al saltar, vengan, mírenlo
órfico y traslúcido, sus cuatro pulsos en el aire,
como entrando olfateando, como persistiendo
en el funeral de la figura.

Píntenlo así volando en su levitación con
éter y ultrasonido para que el registro siga intacto
y el carácter del animal resplandezca en el equilibrio
como en este vaso etrusco que aún guarda
su respiración, el aleteo
del zumbido

en la ligereza del trazo, el hocico
vertiginoso a la siga de la imago
de algún difunto rey, las dos patas delanteras
sangrantes fuera de
órbita, casi
alcanzándolo más allá del vaso, corriendo
sin parar milenio
tras milenio entre el lujo
de las hebras mortuorias y las vestiduras azules con cítaras
y máscaras.

OIGAN A ESE NIÑO

—A mí el que me gusta es el caballo para pintar la
velocidad con tal que nos dure
el juego hasta que sea
grande y tenga harta pero harta
libertad como para ir por ejemplo
a París y estar aquí
a la vez sin

necesidad de plata, por ir,
sólo por ir y preguntar si vivo
ahí o
aquí no más estoy viviendo.

Cuando tenga cuatro me largo.

LOS DIVOS

No hay bufón que no ande con la bacinica en la cabeza dijo
Apollinaire,
por más que la esconda; a unos
se les nota más en el frontal, a otros
por viejos en los parietales, da risa; la vista
se acostumbra.

Son célebres, parece que son célebres, por lo menos giran en
la órbita
de la seducción e intentan desafiar a las adivinas
en cuanto a frescor, sólo que no tienen la hermosura
de su figura y además no guardan el tipo;
ex-acróbatas e inflados dan lástima después de todo, llamativos
como play-boys, tostados a lo Hollywood, bajo las lámparas
públicas de los recitales en
la batahola de los autógrafos.

Ni es culpa de ellos, farsa y ligereza
no dan para más y esto se remonta a Calímaco, la cuerda
que alguna vez sonara áfona con cierta novedad en
la victrola de 1900 no da para más; uno que otro acorde,
pero ella misma
en cuanto a acorde no da para más;

íbamos en que el Mundo está cambiando.

OTRO ACORDE SOBRE LA LEVEDAD DEL SER

Me estaba riendo solo de lo bien barnizado que viene el cajón
de Pedro en el diario, 3 por 4 centímetros, descontado
el aviso de las bodas en el cielo
con no sé quién y además la misa,
una misa luctuosamente sollozada con acompañamiento de rosas
e incienso.

SOLO DE AULLIDO

¿Qué es lo que leerán los perros en el color
de este mundo? ¿A Dios
que los hizo perros y no hombres? ¿Al abismo
que leyó San Juan, o las que ladran por allá lejos
de lo alto son las estrellas como está escrito en Van Gogh
que no dijo nunca esto?

¿O

librescamente hartos será también
el hastío su
histeria?

ALEGATO

Buena nueva para los liridas de Chile: me echaron,
me amarraron y me echaron
en una especie de camisa con un número
colorado en la tapa: —Rojas,
ahí va Rojas el Gonzalo por hocicón
y por crestón y fuera de eso por ocioso, por
desafinado.

En cuanto a mí ya no estoy
para nadie. Por eso me echaron.
Porque no estoy para nadie me echaron.
De la república asesinada y de la otra me echaron.
De las antologías me echaron.
De las décadas salobres me echaron. De lo que no pudieron
es del aire.

FRÜHLING

A la república de la muerte Hitler le puso otro
nombre y así
es como suena en las lenguas todas de la belleza: Frühling
desde entonces,
saison ciega con el número
39 que no es aire
para repetirlo, ronco como estoy
ahora en New York esperándola
sigilosa y blanca que venga
pasada esta nieve en el temblor de
los cerezos.

MUELLE DE LAS BRUMAS

Misma sea la lozanía del pie, misma
la de la cabeza para que haya temperancia
circulatoria y el espectáculo encaje
justo en el resplandor fijo de
otra Michelle veloz con sus mismos ojos, más alta,
que habré visto el 37 con
disipación un martes verde a
la salida del cine, amarrada
a otro hasta el cuello, metida en el olor
de otro, ese olor
que echa el hombre asustado de su animala espléndida.

Tú eres ésa, la alta
de los pezones duros contra el aire, la olfateada
por cuando lobo, medio
siglo atrás, fresca de risa y
tez, saliendo por las mamparas
de Santiago a la hora de la vermouth, a la altura
de la cuadra 23, Alameda abajo, airosa y no me importa
para nada el pitazo ronco encima de los muelles
del desencanto: —*Ánima mía*
contradictoria de la obsesión que fuiste, purifícame,
cuerpo

embriágame, agua
del costado lávame.
Te
lo digo torrencial cosa que te duela.

LAS PUDIBUNDAS

Mujeres de 50 a 60 hablando en un rincón de austeridad
frenéticas contra el falo, ¡a las horas!,
cuando ya se ha ardido mucho y se ha tostado
el encanto, hirondelas, y lo frustrado
se ha vuelto arruga. Trampa,
no todo será lujuria pero qué portento
es la lujuria con su olor a
lujuria, con su fulgor
a mujer y hombre nadando
en la inmensidad de esos dos metros
crujientes con
sábanas, o sin, en un solo beso
que es pura imantación mientras afuera la Tierra dicen que gira
y ellos ahí libres. Gloriosos
y gozosos, embellecidos por los excesos. Que hablen
lo que quieran de gravedad menesterosa
esas pudibundas. Ay, cuerpo, quién
fuera eternamente cuerpo.

A VECES PIENSO QUIÉN

A veces pienso quién, quién estará viviendo ronco mi juventud
con sus mismas espinas, liviano y vagabundo,
nadando en el oleaje de las calles horribles, sin un cobre,
remoto, y más flexible: con tres noches radiantes en las sienes
y el olor de la hermosa todavía en el tacto.

Dónde andará, qué tablas le tocará dormir a su coraje,
qué sopa devorar, cuál será su secreto
para tener veinte años y cortar en sus llamas las páginas violentas.
Porque el endemoniado repetirá también el mismo error
y de él aprenderá, si se cumple en su mano la escritura.

CONTRA VOSOTROS NACIENDO

Tengo que dar con ese nicho que estaba ahí y no está,
tengo que dar con la transparencia
de esa perdición oyendo a ese pájaro
carácter de rey, tengo en el cementerio
de la costa embravecida que dar con ese metro de
mármol, tengo que hablar con ese muerto.

Tengo que discutir con él la fecha, el
porte, comprobar el desequilibrio
de la ecuación, llamarlo suavemente en quince idiomas con
dulzura, todo se alcanza con dulzura: —Edipo,
decirle, pies hinchados, apiádate de este viejo mortal
ceguera de fósforo: ¿estás
ahí?; considerar la distancia
que nos separa.

Por si se asoma, por si el número
que ando buscando es él y se asoma
y esto se aclara, definitivamente se aclara, y
nos vamos; ahí sí nos vamos
nadando madre arriba como quien vuelve por la torrentera

blanquísima de las diez mil
muchachas a cuál
más hermosa que nos parió, como para comprobar
que el viaje mismo es un absurdo.

LOS ERRANTES

¿Vamos entonces a comparar lo blanquísimo de esta música
con paloma ninguna, o el avión
es el disparate en la versión nupcial
de estas nubes ahora
que volamos inabarcables en el adiós a Chicago
sobre el Míchigan?
                                        No, Hilda, no
vamos a lo imposible
comparar con el Gran Rápido del juego
que uno juega por jugar, yo a ti,
tú a mí, con locura:
                                        ¿y los años?,
¿y esa espuma levísima que hila y
no termina de hilar a Dios allá afuera
en el ventarrón? ¿Y
el vidrio, el
transvidrio?

VOYAGER

Cuéntase y ha de ser que el primer aeroplano sigue ahí
y no ha vuelto, fascinado
por la construcción intacta del ritmo, sin más
gasolina que el pensamiento de Leonardo, lo de Ícaro
es mito, Huidobro
fue el único que lo vio y ya no hay más testigo
salvo, claro, los que armaron el aparato: George Cayley
en 1796 con dos alas de palo, Alphonse Pénaud
el 72 del otro siglo a modo
de tirabuzón contra el cielo, más los dibujos
a retroimpulso de Manley, Charles Manley, loco
por los botes aéreos, hasta que los dos Wright —Orville y
Wilbur—
pusieron orden en la máquina con agujas
y válvulas para bailar el horizonte.

Hablando de motor no hay motor
en el original, ni piloto, ni
apenas aire y sin embargo permanece,
persevera en su ser en cuanto substancia;
el aeroplano es mente y en cuanto mente
vuela en todas direcciones a la vez, duerme
en lo más insepulto del espacio, lo atraviesa
todo, el fuselaje

parece el cuerpo de un arcángel a
diez mil y sigue siendo experimento
como la imaginación, no es realidad
sino alegría: alegría y poesía.

FOTO CON NEVAZÓN

¿Viste rosas con nieve?; bueno ahí las ves
menos contradictorias de lo que parecen. Ni Garcilaso
y sus pastoras gozaron esto
que está pasando a un metro del escándalo
tras los vidrios en la violación
silenciosa donde ellas las posesas
y sus espinas lucen más encarnadas
y airosas que en el Renacimiento, el cuello alto, áurea
la nuca, por obra y gracia del arrullo
que llega hasta la convulsión
en este juego níveo de noviembre en el que
lo seminal es lo angelical y no hay otro sexo
que la hermosura, el asombro
de la hermosura.

ÉXTASIS DEL ZAPATO

¿De dónde habrá salido este zapato
de mujer, enterrado vivo
entre el cerezo y el espectáculo
del cerezo?

Alguna vez hubo
uñas de diamante ahí de un pie
libertino en diálogo
con el otro
del que no hay noticia.

Ocioso
ahora duerme su desamparo en el pasto
a medio fulgor, mezcla
de altivez y
lástima: todo tan lejos. Lo
arqueológico, lo
arterial del arco, el tacón,
¡y esa música!

AL FONDO DE TODO ESTO DUERME UN CABALLO

Al fondo de todo esto duerme un caballo
blanco, un viejo caballo
largo de oído, estrecho de
entendederas, preocupado
por la situación, el pulso
de la velocidad es la madre que lo habita: lo montan
los niños como a un fantasma, lo escarnecen, y él duerme
durmiendo parado ahí en la lluvia, lo
oye todo mientras pinto estas once
líneas. Facha de loco, sabe
que es el rey.

QEDESHÍM QEDESHÓTH

Mala suerte acostarse con fenicias, yo me acosté
con una en Cádiz bellísima
y no supe de mi horóscopo hasta
mucho después cuando el Mediterráneo me empezó a exigir
más y más oleaje; remando
hacia atrás llegué casi exhausto a la
duodécima centuria: todo era blanco, las aves
el océano, el amanecer era blanco.

Pertenezco al Templo, me dijo: soy Templo. No hay
puta, pensé, que no diga palabras
del tamaño de esa complacencia. 50 dólares
por ir al otro Mundo, le contesté riendo; o nada.
50, o nada. Lloró
convulsa contra el espejo, pintó
encima con rouge y lágrimas un pez: —Pez,
acuérdate del pez.

Dijo alumbrándome con sus grandes ojos líquidos de
turquesa, y ahí mismo empezó a bailar en la alfombra el
rito completo; primero puso en el aire un disco de Babilonia y
le dio cuerda al catre, apagó las velas: el catre
sin duda era un gramófono milenario

por el esplendor de la música; palomas, de
repente aparecieron palomas.

Todo eso por cierto en la desnudez más desnuda con
su pelo rojizo y esos zapatos verdes, altos, que la
esculpían marmórea y sacra como
cuando la rifaron en Tiro entre las otras lobas
del puerto, o en Cartago
donde fue bailarina con derecho a sábana a los
quince; todo eso.

Pero ahora, ay, hablando en prosa se
entenderá que tanto
espectáculo angélico hizo de golpe crisis en mi
espinazo, y lascivo y
seminal la violé en su éxtasis como
si eso no fuera un templo sino un prostíbulo, la
besé áspero, la
lastimé y ella igual me
besó en un exceso de pétalos; nos
manchamos gozosos, ardimos a grandes llamaradas
Cádiz adentro en la noche ronca en un
aceite de hombre y de mujer que no está escrito
en alfabeto púnico alguno, si la imaginación de la
imaginación me alcanza.

Qedeshím qedeshóth[*], personaja, teóloga
loca, bronce, aullido
de bronce, ni Agustín
de Hipona que también fue liviano y
pecador en África hubiera
hurtado por una noche el cuerpo a la
diáfana fenicia. Yo
pecador me confieso a Dios.

* *Qedeshím qedeshóth*: en fenicio, cortesana del templo.

LOS NIÑOS

—Entre una y otra sábana o, aún más rápido que eso, en un
mordisco,
nos hicieron desnudos y saltamos al aire ya feamente viejos,
sin alas, con la arruga de la tierra.

ACORDE CLÁSICO

Nace de nadie el ritmo, lo echan desnudo y llorando
como el mar, lo mecen las estrellas, se adelgaza
para pasar por el latido precioso
de la sangre, fluye, fulgura
en el mármol de las muchachas, sube
en la majestad de los templos, arde en el número
aciago de las cortinas, parpadea
en esta página.

ARRULLO

Grand sosiego ovieron aquella noche los muertos:
apiádate
Agua de ellos por ociosos
y vueltos al revés, permite
Aire que no se envenenen ni se mareen
en el vértigo, Fuego acepta como flores
sus pobres párpados, amamántalos
otra vez Tierra con tus viejos pezones.
Tierra,
Fuego, Aire, Agua, consideren la inmensidad de su hambre.

Grand sosiego ovieron aquella noche los muertos.

CELIA

1

Y nada de lágrimas; esta mujer que cierran hoy
en su transparencia, ésta que guardan
en la litera ciega del muro
de cemento, como loca encadenada
al catre cruel en el dormitorio sin aire, sin
barquero ni barca, entre desconocidos sin rostro, ésta
es
únicamente la
Única
que nos tuvo a todos en el cielo
de su preñez.
Alabado
sea su vientre.

2

Y nada, nada más; que me parió y me hizo
hombre, al séptimo parto
de su figura de marfil
y de fuego,
en el rigor
de la pobreza y la tristeza,
y supo

oír en el silencio de mi niñez el signo,
el Signo
sigiloso
sin decirme
nunca
nada.
Alabado
sea su parto.

3

Que otros vayan por mí ahora
que no puedo, a ponerte
ahí los claveles
colorados de los Rojas míos, tuyos,
hoy
trece doloroso de tu martirio,
los
de mi casta que nacen al alba
y renacen; que vayan a ese muro por nosotros, por Rodrigo
Tomás, por Gonzalo hijo, por Alonso; que vayan
o no, si prefieren,
o que oscura te dejen
sola,
sola con la ceniza
de tu belleza
que es tu resurrección, Celia
Pizarro,
hija, nieta de Pizarros

y Pizarros muertos, Madre;

y vengas tú

al exilio con nosotros, a morar como antes en la gracia
de la fascinación recíproca.
Alabado
sea tu nombre para siempre.

LAS HERMOSAS

Eléctricas, desnudas en el mármol ardiente que pasa de la piel a
los vestidos,
turgentes, desafiantes, rápida la marea,
pisan el mundo, pisan la estrella de la suerte con sus finos tacones
y germinan, germinan como plantas silvestres en la calle,
y echan su aroma duro verdemente.

Cálidas impalpables del verano que zumba carnicero. Ni rosas
ni arcángeles: muchachas del país, adivinas
del hombre, y algo más que estas ramas flexibles
que saben lo que saben como sabe la tierra.

Tan livianas, tan hondas, tan certeras las suaves. Cacería
de ojos azules y otras llamaradas urgentes en el baile
de las calles veloces. Hembras, hembras
en el oleaje ronco donde echamos las redes de los cinco sentidos
para sacar apenas el beso de la espuma.

¿QUÉ SE AMA CUANDO SE AMA?

¿Qué se ama cuando se ama, mi Dios: la luz terrible de la vida
o la luz de la muerte? ¿Qué se busca, qué se halla, qué
es eso: amor? ¿Quién es? ¿La mujer con su hondura, sus rosas,
sus volcanes,
o este sol colorado que es mi sangre furiosa
cuando entro en ella hasta las últimas raíces?

¿O todo es un gran juego, Dios mío, y no hay mujer
ni hay hombre sino un solo cuerpo: el tuyo,
repartido en estrellas de hermosura, en partículas fugaces
de eternidad visible?

Me muero en esto, oh Dios, en esta guerra
de ir y venir entre ellas por las calles, de no poder amar
trescientas a la vez, porque estoy condenado siempre a una,
a esa una, a esa única que me diste en el viejo paraíso.

VOCALES PARA HILDA

La que duerme ahí, la sagrada,
la que me besa y me adivina,
la traslúcida, la vibrante,
la loca
de amor, la cítara
alta:

tú,

nadie
sino flexiblemente
tú,
la alta,
en el aire alto
del aceite
original
de la Especie:

tú,

la que hila
en la velocidad
ciega
del sol:

tú,

la elegancia
de tu presencia
natural
tan próxima,
mi vertiente
de diamante, mi
arpa,
tan portentosamente mía:

tú

paraíso
o
nadie,
cuerda
para oír
el viento
sobre el abismo
sideral:

tú

página
de piel más allá
del aire:

tú

manos
que amé,
pies
desnudos
del ritmo
de marfil
donde puse
mis besos:

tú,

volcán
y pétalos
llama;
lengua
de amor
viva:

tú

figura
espléndida, orquídea
cuyo carácter aéreo
me permite
volar:

tú,

muchacha
mortal, fragancia
de otra música
de nieve
sigilosamente
andina:

tú,

hija del mar
abierto,
áureo,
tú que danzas
inmóvil
parada
ahí
en
la transparencia
desde
lo hondo
del principio:

tú

cordillera, tú,
crisálida
sonámbula
en el fulgor
impalpable
de tu corola:

tú,

nadie: tú:

Tú,
Poesía,
tú,
Espíritu,
nadie:

tú,

que soplas
al viento
estas vocales
oscuras
estos
acordes
pausados
en el enigma
de lo terrestre:

tú:

CAMA CON ESPEJOS

Ese mandarín hizo de todo en esta cama con espejos, con dos
espejos:
hizo el amor, tuvo la arrogancia
de creerse inmortal, y tendido aquí miró su rostro por los pies,
y el espejo de abajo le devolvió el rostro de lo visible;
así desarrolló una tesis entre dos luces: el de arriba
contra el de abajo, y acostado casi en el aire
llegó a la construcción de su gran vuelo de madera.

La estridencia de los días y el polvo seco del funcionario
no pudieron nada contra el encanto portentoso:
ideogramas carnales, mariposas de alambre distinto, fueron
muchas y muchas
las hijas del cielo consumidas entre las llamas
de aquestos dos espejos lascivos y sonámbulos
dispuestos en lo íntimo de dos metros, cerrados el uno contra
el otro:
el uno para que el otro le diga al otro que el Uno es el Principio.

Ni el yinn ni el yang, ni la alternancia del esperma y de la
respiración
lo sacaron de esta liturgia, las escenas eran veloces
en la inmovilidad del paroxismo: negro el navío navegaba

lúcidamente en sus aceites y el velamen de sus barnices,
y una corriente de aire de ángeles iba de lo Alto a lo Hondo
sin reparar en que lo Hondo era lo Alto para el seso
del mandarín. Ni el yinn ni el yang, y esto se pierde en el Origen.

Pekín, 1971

LATÍN Y JAZZ

Leo en un mismo aire a mi Catulo y oigo a Louis Armstrong,
lo reoigo
en la improvisación del cielo, vuelan los ángeles
en el latín augusto de Roma con las trompetas libérrimas,
lentísimas,
en un acorde ya sin tiempo, en un zumbido
de arterias y de pétalos para irme en el torrente con las olas
que salen de esta silla, de esta mesa de tabla, de esta materia
que somos yo y mi cuerpo en el minuto de este azar
en que amarro la ventolera de estas sílabas.

Es el parto, lo abierto de lo sonoro, el resplandor
del movimiento, loco el círculo de los sentidos, lo súbito
de este aroma áspero a sangre de sacrificio: Roma
y África, la opulencia y el látigo, la fascinación
del ocio y el golpe amargo de los remos, el frenesí
y el infortunio de los imperios, vaticinio
o estertor: éste es el jazz,
el éxtasis
antes del derrumbe, Armstrong; éste es el éxtasis,
Catulo mío,
¡Tánatos!

HADO HADES

Prácticamente todo estará hecho de especulaciones
y eyaculaciones, la libertad,
esa rosa que arde ahí, la
misma Nada en sus pétalos,
la memoria de quién, el libro de aire
de los cielos, esta música
oída antes, el esperma de David
que engendró al otro, y ese otro
al otro como en el jazz, diamantino
el clarinete del fulgor largo, nueve
el número de nacer, más allá de los meses
lo imposible y faraónico, y el otro
al otro,
lo
aullante del círculo

de esta vieja película que vuela en el cilindro
de su éxtasis según la filmación
de los esenios cuyas máquinas
fueron capaces de ir al fondo
del laberinto palpando
una y otra vez el curso
de las estrellas en la sangre
de las hermosas, arbitrario
claro está el mecanismo, disperso

por simultáneo el sacrificio si es que el cerebro
puede más que el Hado:
al Hado
lo vadean los muertos, viven vadeándolo
leguas de agua hasta
que ya no hay orilla, unas gaviotas
vuelan hacia el sur, habrá llovido
abajo este verano lo tormentoso
de estos meses.

A Pedro Lastra.

ALEPH, ALEPH

¿Qué veo en esta mesa: tigres, Borges, tijeras, mariposas
que no volaron nunca, huesos
que no movieron esta mano, venas
vacías, tabla insondable?

Ceguera veo, espectáculo
de locura veo, cosas que hablan solas
por hablar, por precipitarse
hacia la exigüidad de esta especie
de beso que las aproxima, tu cara veo.

OSCURIDAD HERMOSA

Anoche te he tocado y te he sentido
sin que mi mano huyera más allá de mi mano,
sin que mi cuerpo huyera, ni mi oído:
de un modo casi humano
te he sentido.

Palpitante,
no sé si como sangre o como nube
errante,
por mi casa, en puntillas, oscuridad que sube,
oscuridad que baja, corriste, centelleante.

Corriste por mi casa de madera
sus ventanas abriste
y te sentí latir la noche entera,
hija de los abismos, silenciosa,
guerrera, tan terrible, tan hermosa
que todo cuanto existe,
para mí, sin tu llama, no existiera.

NO LE COPIEN A POUND

No le copien a Pound, no le copien al copión maravilloso
de Ezra, déjenlo que escriba su misa en persa, en cairo-arameo,
en sánscrito,
con su chino a medio aprender, su griego translúcido
de diccionario, su latín de hojarasca, su libérrimo
Mediterráneo borroso, nonagenario el artificio
de hacer y rehacer hasta llegar a tientas al gran palimpsesto
de lo Uno;
no lo juzguen por la dispersión: había que juntar los átomos,
tejerlos así, de lo visible a lo invisible, en la urdimbre de lo fugaz
y las cuerdas inmóviles; déjenlo suelto
con su ceguera para ver, para ver otra vez, porque el verbo es
ése: ver,
y ése el Espíritu, lo inacabado
y lo ardiente, lo que de veras amamos
y nos ama, si es que somos Hijo de Hombre
y de Mujer, lo innumerable al fondo de lo innombrable;
no, nuevos semidioses
del lenguaje sin Logos, de la histeria, aprendices
del portento original, no le roben la sombra
al sol, piensen en el cántico
que se abre cuando se cierra como la germinación, háganse aire,
aire-hombre como el viejo Ez, que anduvo siempre en el
peligro, salten intrépidos
de las vocales a las estrellas, tenso el arco

de la contradicción en todas las velocidades de lo posible, aire
y más aire
para hoy y para siempre, antes
y después de lo purpúreo
del estallido
simultáneo, instantáneo
de la rotación, porque este mundo parpadeante sangrará,
saltará de su eje mortal, y adiós ubérrimas
tradiciones de luz y mármol, y arrogancia; ríanse de Ezra
y sus arrugas, ríanse desde ahora hasta entonces, pero no lo
saqueen; ríanse, livianas
generaciones que van y vienen como el polvo, pululación
de letrados, ríanse, ríanse de Pound
con su Torre de Babel a cuestas como un aviso de lo otro
que vino en su lengua;
cántico,
hombres de poca fe, piensen en el cántico.

DEL INSOMNE

Was bleibet aber, stiften die Dichter.
HÖLDERLIN

Entre la máscara y la transparencia arde la ciencia
del insomne en este libro
de marfil con llamas adentro, con
cerebro de jaguar y Espíritu
Santo; entremos con reverencia
a sus páginas de aire:

respiremos ahí la mariposa
del caos creador; nadie
apartó antes las aguas de las aguas, nadie
el instante de lo permanente supo abrir así, con esta letra
minuciosa, tan sigilosa.

CARBÓN

Veo un río veloz brillar como un cuchillo, partir
mi Lebu en dos mitades de fragancia, lo escucho,
lo huelo, lo acaricio, lo recorro en un beso de niño como
entonces,
cuando el viento y la lluvia me mecían, lo siento
como una arteria más entre mis sienes y mi almohada.

Es él. Está lloviendo.
Es él. Mi padre viene mojado. Es un olor
a caballo mojado. Es Juan Antonio
Rojas sobre un caballo atravesando un río.
No hay novedad. La noche torrencial se derrumba
como mina inundada, y un rayo la estremece.

Madre, ya va a llegar: abramos el portón,
dame esa luz, yo quiero recibirlo
antes que mis hermanos. Déjame que le lleve un buen vaso
de vino
para que se reponga, y me estreche en un beso,
y me clave las púas de su barba.

Ahí viene el hombre, ahí viene
embarrado, enrabiado contra la desventura, furioso
contra la explotación, muerto de hambre, allí viene
debajo de su poncho de Castilla.

Ah, minero inmortal, ésta es tu casa
de roble, que tú mismo construiste. Adelante:
te he venido a esperar, yo soy el séptimo
de tus hijos. No importa
que hayan pasado tantas estrellas por el cielo de estos años,
que hayamos enterrado a tu mujer en un terrible agosto,
porque tú y ella estáis multiplicados. No
importa que la noche nos haya sido negra
por igual a los dos.

—Pasa, no estés ahí
mirándome, sin verme, debajo de la lluvia.

POR VALLEJO

Ya todo estaba escrito cuando Vallejo dijo: —Todavía.
Y le arrancó esta pluma al viejo cóndor
del énfasis. El tiempo es todavía,
la rosa es todavía y aunque pase el verano, y las estrellas
de todos los veranos, el hombre es todavía.

Nada pasó. Pero alguien que se llamaba César en peruano
y en piedra más que piedra, dio en la cumbre
del oxígeno hermoso. Las raíces
lo siguieron sangrientas cada día más lúcido. Lo fueron
secando, y ni París pudo salvarle el hueso ni el martirio.

Ninguno fue tan hondo por las médulas vivas del origen
ni nos habló en la música que decimos América
porque éste únicamente sacó el ser de la piedra más oscura
cuando nos vio la suerte debajo de las olas
en el vacío de la mano.

Cada cual su Vallejo doloroso y gozoso.
No en París
donde lloré por su alma, no en la nube violenta
que me dio a diez mil metros la certeza terrestre de su rostro
sobre la nieve libre, sino en esto
de respirar la espina mortal, estoy seguro
del que baja y me dice: —Todavía.

DAIMON DEL DOMINGO

Entre la Biblia de Jerusalén y estas moscas que ahora andan ahí volando,
prefiero estas moscas. Por 3 razones las prefiero:

1) porque son pútridas y blancas con los ojos azules y lo procrean todo en el aire como riendo,

2) por eso velocísimo de su circunstancia que ya lo sabe todo desde mucho antes del Génesis,

3) por además leer el Mundo como hay que leerlo: de la putrefacción a la ilusión.

PAPIRO MORTUORIO

Que no pasen por nada los parientes, párenlos
con sus crisantemos y sus lágrimas
y aquellos acordeones para la fiesta
del incienso; nadie
es el juego sino uno, este mismo uno
que anduvimos tanto por error
de un lado a otro, por error: nadie
sino el uno que yace aquí, este mismo uno.

Cuesta volver a lo líquido del pensamiento
original, desnudarnos como cantando
de la airosa piel que fuimos con hueso y todo desde
lo alto del cráneo al último
de nuestros pasos, tamaña especie
pavorosa, y eso que algo
aprendimos de las piedras por el atajo
del callamiento.

A bajar, entonces, áspera mía ánima, con la dignidad
de ellas, a lo gozoso
del fruto que se cierra en la turquesa de otra luz
para entrar al fundamento, a sudar
más allá del sudario la sangre fresca del que duerme
por mí como si yo no fuera ése,
ni tú fueras ése, ni interminablemente nadie fuera ése,

porque no hay juego sino uno y éste es el uno:
el que se cierra ahí, pálidos los pétalos
de la germinación y el agua suena al fondo
ciega y ciega, llamándonos.

Fuera con lo fúnebre; liturgia
parca para este rey que fuimos, tan
oceánicos y libérrimos; quemen hojas
de violetas silvestres, vístanme con un saco
de harina o de cebada, los pies desnudos
para la desnudez
última; nada de cartas
a la parentela atroz, nada de informes
a la justicia; por favor tierra,
únicamente tierra, a ver si volamos.

CRÍPTICO

Non est hic: surrexit. Hubo alguno una vez
y por añadidura otro en la identidad, fálico, fos-
fórico, frenético, ¿pero qué sabe hoy nadie de frenesí
ni pensamiento salvaje? Viñedo es el nombre
de la Vía Láctea para ordeñar
uva y amor, tiempo fresquísimo de pastores
antes del cataclismo ¿pero qué sabe
nadie hoy
de Patmos para ver
eso y escribirlo? No habrá milenio
ni computador, ángeles
habrá. Lo
mohoso es el cuchillo.

EL FORNICIO

Te besara en la punta de las pestañas y en los pezones, te
turbulentamente besara,
mi vergonzosa, en esos muslos
de individua blanca, tocara esos pies
para otro vuelo más aire que ese aire
felino de tu fragancia, te dijera española
mía, francesa mía, inglesa, ragazza,
nórdica boreal, espuma
de la diáspora del Génesis, ¿qué más
te dijera por dentro?
¿griega,
mi egipcia, romana
por el mármol?
¿fenicia,
cartaginesa, o loca, locamente andaluza
en el arco de morir
con todos los pétalos abiertos,
tensa
la cítara de Dios, en la danza
del fornicio?

Te oyera aullar,
te fuera mordiendo hasta las últimas
amapolas, mi posesa, te todavía
enloqueciera allí, en el frescor

ciego, te nadara
en la inmensidad
insaciable de la lascivia,

riera

frenético el frenesí con tus dientes, me
arrebatara el opio de tu piel hasta lo ebúrneo
de otra pureza, oyera cantar a las esferas
estallantes como Pitágoras,

te lamiera,

te olfateara como el león
a su leona,

parara el sol,

fálicamente mía,

¡te amara!

LA PALABRA PLACER

La palabra placer, cómo corría larga y libre por tu cuerpo la
 palabra placer
cayendo del destello de tu nuca, fluyendo
blanquísima por lo vertiginoso oloroso de
tu espalda hasta lo nupcial de unas caderas
de cuyo arco pende el Mundo, cómo lo
músico vino a ser marmóreo en la
esplendidez de tus piernas si antes hubo
dos piernas amorosas así considerando
claro el encantamiento de los tobillos que son
goznes que son aire que son
partícipes de los pies de Isadora
Duncan la que bailó en la playa
abierta para Serguei
Iesénin, cómo
eras eso y más para mí, la
danza, la contradanza, el gozo
de olerte ahí tendida recostada en tu ámbar contra
el espejo súbito de la Especie cuando te vi
de golpe, ¡con lo lascivo
de mis dedos te vi!, la
arruga errónea, por decirlo, trizada en
lo simultáneo de la serpiente palpándote
áspera del otro lado otra
pero tú misma en
la inmediatez de la sábana, anfibia

ahora, vieja
vejez de los párpados abajo, pescado
sin oceáno ni
nada que nadar, contradicción
siamesa de la figura
de las hermosas desde el
paraíso, sin
nariz entonces rectilínea ni pétalo
por rostro, pordioseros los pezones, más
y más pedregosas las rodillas, las costillas:
—¿Y el parto, Amor, el
tisú epitelial del parto?

De él somos, del
mísero dos partido
en dos somos, del
báratro, corrupción
y lozanía y
clítoris y éxtasis, ángeles
y muslos convulsos: todavía
anda suelto todo, ¿qué
nos iban a enfriar por eso los tigres
desbocados de anoche? Placer
y más placer. Olfato, lo
primero el olfato de la hermosura, alta
y esbelta rosa de sangre a cuya vertiente vine, no
importa el aceite de la locura:
—Vuélvete, paloma,
que el ciervo vulnerado
por el otero asoma.

FONDO DE OJO

Pero el desasimiento guarda su pesantez, arde
en su alarde tenebroso, no basta
con escribir del otro lado el sentido
súbito del azogue; la
iluminación es otra,
                                        un
hombre
érase aéreo
en su anacoluto;
                                    lo visto
visto está, no había
                                        parto para qué
venir
a esta costa con
espuma, con
muchachas las que
musicalmente sangráis, abiertas
las umbelas azules al precipicio
de los meses cuando la Madre
malherida sube entre las redes, y

quién sabe el tiempo ni el diamante, Lo
acuérdate que eres polvo y llueve
este cielo bellísimo;

las palomas
lo habrán pervertido muy
molicie al vagamundo a su
misterio.

CONTRA LA MUERTE

Me arranco las visiones y me arranco los ojos cada día que pasa.
No quiero ver ¡no puedo! ver morir a los hombres cada día.
Prefiero ser de piedra, estar oscuro,
a soportar el asco de ablandarme por dentro y sonreír
a diestra y a siniestra con tal de prosperar en mi negocio.

No tengo otro negocio que estar aquí diciendo la verdad
en mitad de la calle y hacia todos los vientos:
la verdad de estar vivo, únicamente vivo,
con los pies en la tierra y el esqueleto libre en este mundo.

¿Qué sacamos con eso de saltar hasta el sol con nuestras máquinas
a la velocidad del pensamiento, demonios: qué sacamos
con volar más allá del infinito
si seguimos muriendo sin esperanza alguna de vivir
fuera del tiempo oscuro?

Dios no me sirve. Nadie me sirve para nada.
Pero respiro, y como, y hasta duermo
pensando que me faltan unos diez o veinte años para irme
de bruces, como todos, a dormir en dos metros de cemento allá
abajo.

No lloro, no me lloro. Todo ha de ser así como ha de ser,
pero no puedo ver cajones y cajones
pasar, pasar, pasar, pasar cada minuto
llenos de algo, rellenos de algo, no puedo ver
todavía caliente la sangre en los cajones.

Toco esta rosa, beso sus pétalos, adoro
la vida, no me canso de amar a las mujeres: me alimento
de abrir el mundo en ellas. Pero todo es inútil,
porque yo mismo soy una cabeza inútil
lista para cortar, por no entender qué es eso
de esperar otro mundo de este mundo.

Me hablan del Dios o me hablan de la Historia. Me río
de ir a buscar tan lejos la explicación del hambre
que me devora, el hambre de vivir como el sol
en la gracia del aire, eternamente.

CALIFORNIANA

Putidoncella como en Quevedo fuérame el azar
de mujer: principio
del principio blanco de mariposas dado el volumen
y la velocidad del encanto, que no bien
se alza encima de la esbeltez impúdica
del metro óseo setenta sin
atender por entero a la embarcación, cuando
ya tira o algo así el arponazo
verde de aquesos ojos paraísos al
olfato áspero de los leones en el desafío
turbulento de los 28, con un
desdén, un
hartazgo de todo, altos
                                        los
pezones que manaron nieve, airosa
la nuca, esos muslos
largos como acordes
lascivos.
                    Hablo
de una que vi corriendo volando pagana
de su hermosura hoy en
San Francisco.

Ghirardelli Square.

FLASH

Habráse visto tamaño cuerpo de rubia
loca en ese bar de Pittsburgh, un viernes
de humo con fascinación, besando
a todos los de la barra, el trasero
vuelto hacia nosotros, hurlante
la caballera, viciosillo todo, el escote,
el jazz
viciosillo, el espejo,

las mamparas, el batidero interminable de las mamparas por
donde entraban y salían los
que salían y entraban cada segundo, maldito
lo que importara la Eternidad a esa hora
ahí aceitosa, pública, Armando
diciendo lo suyo, Constance
lo suyo, yo el voyeurista
dele que dele con la rubia filósofa
obscena que no ha olido nunca
a Sócrates, mi mujer mirándome
arder, la elegancia de su risa

y el mar, el remolino del mar
que está lejos con su oleaje
blanco, ¿qué habrá sido
de Apollinaire contra lo áspero
de los arrecifes: ¿habrá volado
ese músico? Fogonazo
de lo nuevo, ¿qué habrá sido
de Apollinaire?

REQUIEM DE LA MARIPOSA

Sucio fue el día de la mariposa muerta.
Acerquémonos
a besar la hermosura reventada y sagrada de sus pétalos
que iban volando libres, y esto es decirlo todo, cuando
sopló la Arruga, y nada
sino ese precipicio que de golpe,
y únicamente nada.

Guárdela el pavimento salobre si la puede
guardar, entre el aceite y el aullido
de la rueda mortal.
O esto es un juego
que se parece a otro cuando nos echan tierra.
Porque también la Arruga...

O no la guarde nadie. O no nos guarde
larva, y salgamos dónde por ultimo del miedo:
a ver qué pasa, hermosa.
Tú que aún duermes ahí
en el lujo de tanta belleza, dinos cómo
o, por lo menos, cuándo.

ADIÓS A HÖLDERLIN

Ya no se dice oh rosa, ni
apenas rosa sino con vergüenza; ¿con vergüenza
a qué?, ¿a exagerar
unos pétalos, la
hermosura de unos pétalos?

Serpiente se dice en todas las lenguas, eso
es lo que se dice, serpiente
para traducir mariposa porque también la
frágil está proscrita
del paraíso. Computador
se dice con soltura en las fiestas, computador
por pensamiento.

Lira, ¿qué será
lira?, ¿hubo
alguna vez algo parecido
a una lira?, ¿una muchacha
de cinco cuerdas por ejemplo rubia, alta, ebria, levísima,
posesa de la hermosura cuya
transparencia bailaba?

Qué canto ni canto, ahora se exige otra
belleza: menos alucinación
y más droga, mucho más droga. ¿Qué es eso de

acentuar la E de Érato, o Perséfone? Aquí se trata
de otro cuarzo más coherente sin
farsa fáustica, ni

Coro de las Madres, se acabó
el coro, el ditirambo, el célebre
éxtasis, lo Otro, con
Maldoror y todo, lo sedoso y
voluptuoso del pulpo, no hay más
epifanía que el orgasmo.

Tampoco es posible nombrar más a las estrellas, vaciadas
como han sido de su fulgor, muertas,
errantes, ya sin enigma,
descifradas hasta las vísceras por los
instrumentos que vuelan de galaxia en
galaxia.

Ni es tan fácil leer en el humo lo
Desconocido; no hay Desconocido. Abrieron la
tapa del prodigio del
seso, no hay nada siño un poco
de pestilencia en el coágulo del
Génesis alojado ahí. Voló el esperma
del asombro.

ALMOHADA DE QUEVEDO

Cerca que véote la mi muerte, cerca que te oigo
por entre las tablas urgentes, que te palpo
y olfatéote con los gallos, cuadernas
y sogas para la embarcación, cerca
nerviosa mía que me aleteas y me andas
desnuda por el seso y
yo ácido
en el ejercicio del reino
que no reiné, feo
como es todo el espectáculo
éste del alambre
al sentido,
                    la composición
pendular.

Feo que el cuerpo tenga que envejecer
para volar de amanecida con esos trémolos
pavorosos, vaca
la hueca bóveda de zafiro, ¿qué haremos mi
perdedora tan alto
por allá?, ¿otra casa
de palo precioso para morar alerce, mármol
morar, aluminio; o no habrá
ocasión comparable a esta máquina
de dormir y velar limpias las

sábanas, lúcido el
portento?

Tórtola occipital, costumbre de ti, no me duele
que respires de mí, ni me hurtes
el aire: amo tu arrullo;
ni exíjote número ni hora exíjote, tan cerca
como vas y vienes viniendo a mí desde
que nos nacimos obstinados los dos en nuestras dos
niñeces cuya trama es una sola filmación, un
mismo cauterio: tú el vidrio,
la persona yo del espejo.
Parca,
mudanza de marfil.

Para Gonzalo Sobejano

VERSÍCULOS

A esto vino al mundo el hombre, a combatir
la serpiente que avanza en el silbido
de las cosas, entre el fulgor
y el frenesí, como un polvo centelleante, a besar
por dentro el hueso de la locura, a poner
amor y más amor en la sábana
del huracán, a escribir en la cópula
el relámpago de seguir siendo, a jugar
este juego de respirar en el peligro.

A esto vino al mundo el hombre, a esto la mujer
de su costilla: a usar este traje con usura,
esta piel de lujuria, a comer este fulgor de fragancia
cortos días que caben adentro de unas décadas
en la nebulosa de los milenios, a ponerse
a cada instante la máscara, a inscribirse en el número de los justos
de acuerdo con las leyes de la historia o del arca
de la salvación: a esto vino el hombre.

Hasta que es cortado y arrojado a esto vino, hasta que lo desovan
como a un pescado con el cuchillo, hasta
que el desnacido sin estallar regresa a su átomo
con la humildad de la piedra,

cae entonces,

sigue cayendo nueve meses, sube
ahora de golpe, pasa desde la oruga
de la vejez a otra mariposa
distinta.

PERDÍ MI JUVENTUD

Perdí mi juventud en los burdeles
pero no te he perdido
ni un instante, mi bestia,
máquina del placer, mi pobre novia
reventada en el baile.

Me acostaba contigo,
mordía tus pezones furibundo,
me ahogaba en tu perfume cada noche,
y al alba te miraba
dormida en la marea de la alcoba,
dura como una roca en la tormenta.

Pasábamos por ti como las olas
todos los que te amábamos. Dormíamos
con tu cuerpo sagrado.
Salíamos de ti paridos nuevamente
por el placer, al mundo.

Perdí mi juventud en los burdeles,
pero daría mi alma
por besarte a la luz de los espejos
de aquel salón, sepulcro de la carne,
el cigarro y el vino.

Allí, bella entre todas,
reinabas para mí sobre las nubes
de la miseria.

A torrentes tus ojos despedían
rayos verdes y azules. A torrentes
tu corazón salía hasta tus labios,
latía largamente por tu cuerpo,
por tus piernas hermosas
y goteaba en el pozo de tu boca profunda.

Después de la taberna,
a tientas por la escala,
maldiciendo la luz del nuevo día,
demonio a los veinte años,
entré al salón esa mañana negra.

Y se me heló la sangre al verte muda,
rodeada por las otras,
mudos los instrumentos y las sillas,
y la alfombra de felpa, y los espejos
que copiaban en vano tu hermosura.

Un coro de rameras te velaba
de rodillas, oh hermosa
llama de mi placer, y hasta diez velas
honraban con su llanto el sacrificio,
y allí donde bailaste
desnuda para mí, todo era olor

nupcial, nupcial
a muerte.

No he podido saciarme nunca en nadie,
porque yo iba subiendo, devorado
por el deseo oscuro de tu cuerpo
cuando te hallé acostada boca arriba,
y me dejaste frío en lo caliente,
y te perdí, y no pude
nacer de ti otra vez, y ya no pude
sino bajar terriblemente solo
a buscar mi cabeza por el mundo.

1929-1988

SIN LIHN

Lihn sangra demasiado todavía para hablar
de Lihn ido Lihn, "defunctus
adhuc loquitur", preferible
el cuerpo que no hay de su figura, no
importa lo del sepelio ni la parábola
de la corrupción del sepelio: algo
que no más él y yo,
cada uno
en su U-Bahn bajo otro Spree
irreal,
cada féretro
en su corteza
cada nadie
en su nadie, desaceitado
como voy en el chillido
de las gaviotas de Berlín sin
más allá ni
más acá salvo en el sur
hacia el oeste Adriana
la tristísima, Andrea
bajo la llovizna, lo que
lo confirma
todo: —Ahora Lihn
tiene la palabra;
muro
y muro.

AL SILENCIO

Oh voz, única voz: todo el hueco del mar,
todo el hueco del mar no bastaría
todo el hueco del cielo,
toda la cavidad de la hermosura
no bastaría para contenerte,
y aunque el hombre callara y este mundo se hundiera
oh majestad, tú nunca,
tú nunca cesarías de estar en todas partes,
porque te sobra el tiempo y el ser, única voz,
porque estás y no estás, y casi eres mi Dios,
y casi eres mi padre cuando estoy más oscuro.

DARÍO Y MÁS DARÍO

Estrella Ogden acompáñame
como ella a él, enjámbrame
como a Darío las estrellas, piénsame
órfica, acostúmbrame a
ser de aire alrededor de
esos aviones ciegos que van rápido en
lo esdrújulo de New York
a Philadelphia, adivíname
en un Tarot al revés con
Nephertitis sangrando bajo
la hermosura de
la nube que habrá sido la piel
de oírte, la
peligrosa piel
de hoy lunes de Berlín con ángeles,
estés
donde estés, concuérdame
con otra cítara altísima de certeza
cuya hipotenusa sea Dios.

numen = inspiración

NUMINOSO

I

Al mundo lo nombramos en un ejercicio de diamante,
uva a uva de su racimo, lo besamos
soplando el número del origen,
                                                    no hay azar
sino navegación y número, carácter
y número, red en el abismo de las cosas
y número.

2

                    Vamos sonámbulos
en el oficio ciego, cautelosos y silenciosos, no brilla
el orgullo en estas cuerdas, no cantamos, no
somos augures de nada, no abrimos
las vísceras de las aves para decir la suerte de nadie, necio
sería que lloráramos.

3

Miseros los errantes, eso son nuestras sílabas: tiempo, no
encanto, no repetición
por la repetición, que gira y gira
sobre
sus espejos, no
la elegancia de la niebla, no el suicidio:
                                                    tiempo,
paciencia de estrella, tiempo y más tiempo.
                                                         No
somos de aquí pero lo somos:
                                          Aire y Tiempo
dicen santo, santo, santo.

AIULEIA POR LA RESURRECIÓN DE GEORGES BATAILLE

Pueda ser que Bataille me oiga, Georges
Bataille, el que vio a Dios
el 37 en la vulva
de Mme. Edwarda, medias y
muslos de seda blanca, la noche
del cerezo en el burdel, y escriba
lo que no sé voluptuoso en el lino
del papiro la palabra
que él supo y yo no sé, la
Palabra.

Y así todo sea jueves, el mar
jueves, el oxígeno
para arder, el mismo
hueso propicio, el trapecio
donde uno duerme como en la madre el ocio
hacedor.

A él encomiendo mi hambre por
santo torrencial descarado, a él
mi libertino

liberto de todo, por
vidente y riente
que apostó entero el orgasmo al
desollamiento vertiginoso
de ser en el exceso hombre, a él,
escrito como está en el precipicio el Mundo, pardos los
azules ojos oscuros abiertos.

ADIÓS A JOHN LENNON

Acostúmbrate, John, a verlas por el periscopio
de mármol, a palparlas
desde ahí tan lejos en tu escafandra
de raso,
ah y por liturgia
aunque sea sábado y sigas
teniendo 22 tocando
durmiendo toca hasta el fin,
estremecimiento de diamante,
                                        no
huelas la locura de estas rosas.

CYRIL CONNOLLY

Apuesto que este gordo que estoy viendo ahí sentado en la pompa
de su figura es
un flaco como Connolly que
lucha por salir, larva
de arcángel, tristísimo, apuesto
que ha salido tarde de su madre, ha llorado
años sus
problemas, solo, entre un tren que partía a las 6 de Londres y otro
sin destino, apuesto
que en el trayecto leyó a su Lao-Tsé, a su
Horacio. Apuesto que leyó a Horacio.

Apuesto además que ha gastado un dineral en alcohol,
un alcohol bellísimo como
el dragón de los dioses, apuesto que quiso ser caballo
en el hipódromo de Chagall, un bonito caballo
que echara espuma de loco volando a diez mil entre un
sentido y otro sentido.

Apuesto que su volumen es sagrado.

APARICIÓN

Por un Gonzalo hay otro, por el que sale
hay otro que entra, por el que se pierde en lo áspero
del páramo hay otro que resplandece, nombre por
    nombre, otro
hijo del rayo, con toda la hermosura
y el estrépito de la guerra, por un Gonzalo veloz
hay otro que salta encima del caballo, otro que vuela
más allá del 2.000, otro que le arrebata
el fuego al origen, otro que se quema en el aire
de lo oscuro: entonces aparece otro y otro.

MICROFILM DEL ABISMO

Como reír es además de reír purificar
sabiduría, me estoy yendo
desafinado de esta envoltura lujuriosa
de uñas y meses a otro número
del que empiezo a ser parte, un número
dijéramos menos abusivo sin tanta
farsa de inmortalidad, fresco el olor

abstracto a seso velocísimo, exactamente como el del río
cuya figura no es el agua; el engaño
es el agua pero él
no es el agua; lo ilusorio
es la palabra agua. Exactamente
como el río, y

no voy a embotellarme en la vieja física
disparatada con sus trescientos mil
millones de estrellas
irreconciliables descontando las nebulosas que
andan por ahí sin haber
sido nunca, con
lo que cuesta no pensar, lo caro
que se paga. Ayuden

al pobre ciego
a hacer bien el cálculo, ¿cuánto
en minutos, y nada de años-luz, o pétalos
escasos?

Hoyo negro, ¿y a eso llaman constelación
de vivir?, ¿a esa ciencia
del desperdicio?, ¿a ese escurrimiento
de un viernes a las 3 a otro viernes
idéntico colgando
como Dios, del mismo palo? Rosas,
estoy hablando de rosas.

Porque lo irrisorio es el dato crudo, el
pronóstico cruel que uno por consuelo llama instante por
hablar conforme a lo geométrico del ojo
de los egipcios, hipopótamo
cortado por la
línea del agua cuando el animal
saca la cabeza del agua para dar el gran vistazo de
Einstein alrededor y parpadeando
vuelve al fondo.

RIMBAUD

No tenemos talento, es que
no tenemos talento, lo que nos pasa
es que no tenemos talento, a lo sumo
oímos voces, eso es lo que oímos: un
centelleo, un parpadeo, y ahí mismo voces. Teresa
oyó voces, el loco
que vi ayer en el Metro oyó voces.

¿Cuál Metro si aquí no hay Metro? Nunca
hubo aquí Metro, lo que hubo
fueron al galope caballos
si es que eso, si es que en este cuarto
de tres por tres hubo alguna vez caballos
en el espejo.

Pero somos precoces, eso sí que somos, muy
precoces, más
que Rimbaud a nuestra edad; ¿más?,
¿todavía más que ese hijo de madre que
lo perdió todo en la apuesta? Viniera y
nos viera así todos sucios, estallados
en nuestro átomo mísero, viejos
de inmundicia y gloria. Un
puntapié nos diera en el hocico.

TRECE CUERDAS PARA LAÚD

D'accord, puestas al fuego todas las mujeres son pelirrojas,
Teresa
de Jesús es pelirroja, Safo, Emily
Brontë es pelirroja, Magdalena de Magdala, tres
de las nueve hijas de Mnemósine y Zeus son pelirrojas,
Euterpe, Melpómene, Terpsícore por no decir todas las
novias de la locura nacidas y
por nacer llámense Andrómaca
o Marilyn son pelirrojas; ésta
que va ahí y arde es
pelirroja, ésa otra que
lo ha perdido todo en la fiesta es pelirroja, la vida
que me espera es pelirroja, la Muerte
que me espera.

TROTANDO A BLAKE

Y si éste mi cuerpo corporal fuera la trepanación de Blake, ese
caballo
riente bajo el sauce, el mordisco
de haberlo vivido todo hasta el hartazgo, el pellejo
libertino que también tuvo trato con los ángeles
en los muslos de las hermosas, durmió con ellas,
oyó arder sus pezones, exageró
la transgresión, besó en su culo el
culo de Nínive, de New York el culo, rió la risa
ronca, la áspera
de Nietzsche, colorado
el tres, lo tiró todo a la
fragancia de la suerte.

Lo gozoso y lo luctuoso tiró él por mí al Támesis
turbulento, erró
errante por errar, rey o
mendigo, o
grabador en tigre nupcial, o
infarto que anda andando por las arterias
disyuntivas, o
este metro setenta ya trizado en su vidrio que nos perdona
o no en la vejez de las semanas, éste y no otro
seso bajo el gorro frigio que hemos usado ambos en

loor de la locura de la calvicie
de la revolución francesa él, yo rusa, o al revés
idéntico de este sauce porque este sauce es al revés
del caballo parado ahí pastando en el potrero
del planeta, y es él el que se llama Gonzalo
si es que el cuerpo es de uno y esto dura, así
caigan los imperios, y sea la nariz
la que funde el fundamento y establezca el arbitrio,
los dos ojos a cada lado, de ver lejos
hasta ni él ni yo sabemos dónde.

Cuestión de velocidad, del XVIII al XX casi no hay madre que
morir
ni galaxia resurrecta, se repite
la repetición, cómese,
bébese sangre, duérmese veinticinco
de las veinticuatro, estremécese mudo el Hado
de tanta y ninguna belleza, ¡para
la risa la belleza!, la
justicia, muérese
la mariposa que hubo, ¿qué fue entonces
de William veedor?, ¿estaba hueco
el aire?

CONTRADANZA

Me adelanto a decírtelo así: vámonos rápido
línea que me vuelas libre, vámonos
al otro lado con la música,
porque pensando en todo como el cordero que oye
su balido púrpura en el temblor
del encantamiento, ya
no hay arco que medir de un verano a otro, ni
estelar acorde en este juicio de geómetras
menesterosos de la exactitud,
                                        ni obediencia
que no sea a quién que no sea
majestuoso lo Único.

CONCIERTO

Entre todos escribieron el Libro, Rimbaud
pintó el zumbido de las vocales, ¡ninguno
supo lo que el Cristo
dibujó esa vez en la arena!, Lautréamont
aulló largo, Kafka
ardió como una pira con sus papeles: —*Lo*
que es del fuego al fuego; Vallejo
no murió, el barranco
estaba lleno de él como el Tao
lleno de luciérnagas; otros
fueron invisibles; Shakespeare
montó el espectáculo con diez mil
mariposas; el que pasó ahora por el jardín hablando
solo, ése era Pound discutiendo un ideograma
con los ángeles, Chaplin
filmando a Nietzsche; de España
vino con noche oscura San Juan
por el éter, Goya,
Picasso
vestido de payaso, Kavafis
de Alejandría; otros durmieron
como Heráclito echados al sol roncando
desde las raíces, Sade, Bataille,
Breton mismo; Swedenborg, Artaud,
Hölderlin saludaron con

tristeza al público antes
del concierto:
¿qué
hizo ahí Celan sangrando
a esa hora
contra los vidrios?

CARTA DE AMOR

Celébrote a máquina sin más laúd
que este áspero
teclado de la A a la Z, dígote cuánto
ámote del tacón
al pelo, esté ese pelo
donde esté, en lo alto o
en lo secreto de tu fragancia, espérote
esperándote parado aquí a
las 7 bajo el humo
del reloj. Y
otra cosa: fíjate en las nubes
pero sin llorar donde está escrito
casi todo
lo blanco y veloz de esta
página dactílica, llámame
por teléfono al
número 00-00-0.

DESCENDIMIENTO DE HERNÁN BARRA SALOMONE

Ahora me vienen con que es el Ñato[1] Barra el que le ha dado un
portazo
a todo esto, él tan fino y
veloz como su nariz que se adelantaba a
verlo todo de un tiro como llorando,
como riendo de este abuso
de precauciones impuestas por la servidumbre de
morir, ahora
lo cierra todo y sale. O

más bien se me adelanta unos minutos escasos con un 3
en la mano, ¿a dónde vas con ese 3
peligroso que puede
estallar, a dónde va corriendo ese loco?: ¿olvida
que la república arde, el aire arde, los baleados
allá abajo arden en
la noche?

[1] Su nariz prodigiosa y aleteante tocaba el infinito y le dijimos
por designio paradojo el ñato, un loco sagrado. Hidalgo
empobrecido, dignísimo. Murió de cáncer al hueso
en un mes y ya es la ceniza que quiso.

Hay el hombre que entra y hay el que
sigiloso se va desnacido
de unos días verdes, y es el mismo omnívoro sin embargo,
el mismo que olfateó mujer y en ella Mundo en
comercio con el Hado, ¿cuál Hado?; a un metro siempre
de la incineración, tan apuesto y seguro en su traje hilado
con hebra de mercader, cortado por
la Fortuna, ¿cuál fortuna,
chillanejo perdedor, cuál
fortuna?

Viene uno al mundo por ejemplo en Chillán de donde se
deduce que en
Chillán está la fiesta, habrá que lacearlo
con paciencia al animal, con
encantamiento, como se pueda, entre
exceso y
exceso, por sabiduría
y epifanía como dice el guitarrón, para
que aparezcan los dioses
sueltos, ¡el Mercado
estará lleno
de dioses sueltos: mendigos
que vienen de otra costa, músicos ciegos con
caras de santos tirados al sol rodeados
de desperdicios, palomas que
de repente salen solas de adentro del aire!; ellos
hablan con ellas y *ven*, ¿qué es lo que ven? Tú no

creías.
no creías en los alumbrados, yo
creía.

Qué bueno ahora hablar de esto, qué bueno hablar
de esto ahora entre los dos hasta las orejas como jugando
a hacer Mundo, tú con tu número
en el circo de caballero lastimero, yo
con la pobre máscara de Nadie porque uno es Nadie
si es que es uno, qué bueno
hablar por hablar en el remolino, celebrar el
seso más lozano que hubo, la nariz
gloriosa que estará en el cielo, el barranco
en el medio, ¿me oyes?, ayer no
más me contaron que te quemaron y lloré,
lloré llovizna de ceniza por el poeta pura sangre que fuiste
porque eso fuiste: un poeta pura sangre,
mejor que ninguno, a la
manera de los sentidos desparramados, entre
el zumbido y el ocio, sin
la locura de durar mil años
¡modas que se arrugan!, flaco y
certero y lúcido, con esa gracia
que no tuvo nadie. ¿Quién tuvo esa gracia?
Vamos a ver, ¿quién la tuvo?

Pasa que uno muere, eso pasa, quedan por ahí
hijos, algunas tablas si es que
quedan algunas tablas; arrepiéntete le
dice a uno el cáncer; ¿arrepiéntete de qué? ¡Tu madre
se arrepienta de haber parido miedo! De Rokha
hablaba de átomos desesperados que nos hicieron hombres.
No sé.
Diáfano viene uno.

LOS DÍAS VAN TAN RÁPIDOS

Los días van tan rápidos en la corriente oscura que toda salvación.
se me reduce apenas a respirar profundo para que el aire dure
en mis pulmones
una semana más, los días van tan rápidos
al invisible océano que ya no tengo sangre donde nadar seguro
y me voy convirtiendo en un pescado más, con mis espinas.

Vuelvo a mi origen, voy hacia mi origen, no me espera
nadie allá, voy corriendo a la materna hondura
donde termina el hueso, me voy a mi semilla,
porque está escrito que esto se cumpla en las estrellas
y en el pobre gusano que soy, con mis semanas
y los meses gozosos que espero todavía.

Uno está aquí y no sabe que ya no está, dan ganas de reírse
de haber entrado en este juego delirante,
pero el espejo cruel te lo descifra un día
y palideces y haces como que no lo crees,
como que no lo escuchas, mi hermano, y es tu propio sollozo
allá en el fondo.

Si eres mujer te pones la máscara más bella
para engañarte, si eres varón pones más duro
el esqueleto, pero por dentro es otra cosa,
y no hay nada, no hay nadie, sino tú mismo en esto:
así es que lo mejor es ver claro el peligro.

Estemos preparados. Quedémonos desnudos
con lo que somos, pero quememos, no pudramos
lo que somos. Ardamos. Respiremos
sin miedo. Despertemos a la gran realidad
de estar naciendo ahora, y en la última hora.

GUARDO EN CASA CON LLAVE

Guardo en casa con llave a las dos serpientes
dinásticas en
trinche aparte: *Prorsa* (así le puso Stendhal)
es más larga y sigilosa, más
ondulante *Versa*; las dos
vuelan como cisnes cuando les pido
que hagan su ballet en el aire por la noche; de
día más bien duermen dobladas
en siete, casi siempre en siete, en
su morada de vidrio; sueñan que son
las diosas Nekhbet y Bouto que ya bailaron antes como ellas
en El Libro de los Muertos.

Las uso para escribir el Mundo, por eso
les doy leche y uvas, las dejo jugar
libres entre mis papeles; me gusta que hablen solas
como yo, que piensen
su pensamiento de muchachas desde un fulgor
inmemorial sin miedo a
morir: eso me gusta.

Además cómo ríen de cada línea loca
que se me ocurre, *Versa*

es la que más confía en lo que hago, y hasta
acaricia mi oreja, *Prorsa* la exacta
me exige menos lujo. —Así no,
me dice: sin
euforia.

A veces les abro la otra puerta de mi cráneo y ésa sí
es alegría: bailan
hasta enloquecer, vuelan
por mi imaginación como si entraran a
otra galaxia y
no dejan dormir a nadie en ese espejo. La quebrazón
empieza con los gallos.

MEMORIA DE JOAN CRAWFORD

Me puse a ver la foto de la Crawford, esa sensuala
de mi adolescencia, a palparla
verde, a olfatearla, a vigilar
ángulo a ángulo el formato del prodigio
que volaba de ella, las dos cejas de
pájara encima de esos diamantes azules, el
aleteo de la nariz, la pintura del beso, el vicio
concupiscente de esa boca, el fulgor
de ese hueso áureo que cerraba el lujo del
mentón, y por exagerar a
mi vampira me puse a llamarla en el abismo
como en ese cine ciego a los dieciséis cuando no había nadie en
        la gran sala del Mundo
sino ella y ella en la fascinación
del fósforo y yo el
despedazado en la butaca de algún domingo; me
puse a verla bailar, a fumar el humo de *Possessed* el 33, a enjugar
el sollozo de *Letty Lynton.*
                                    Cuesta
volver a los grandes días inmóviles, habrá
otras, ninguna
de memoria tan tersa.

VISIÓN DE GWEN KIRKPATRICK

Y qué decir este viernes santo de Gwen y su aura
irlandesa, la más azul
de las azules en San Francisco, pintada
en lo esbelto de sus sandalias entre las hélices
y las lilas de abril: ¿irá al
volante todavía la exhalación
rubia en esas ruedas del
aeropuerto al Golden Gate corriendo
sonámbula como la Magdalena sin su Cristo, buscándolo
entre los libertinos? ¿O el oleaje
habrá azotado sus sienes
contra el Embarcadero hasta hacerla
sangrar? ¿O el temblor
grado 5 del amanecer en la escala
de la Resurrección le habrá dicho: —Levántate,
paloma? ¿O
nada; o
todo habrá sido nada, un diálogo
de un loco con
una loca, un altísimo
libérrimo diálogo con revelación y enigma entre
sequoio y sequoia contra el cielo? Díganlo en
inglés estos dinosaurios arbóreos despiertos desde
la Creación, estos espléndidos
redwoods que en su arrullo
saben más.

UNA VEZ EL AZAR SE LLAMÓ JORGE CÁCERES

Una vez el azar se llamó Jorge Cáceres
y erró veinticinco años por la tierra,
tuvo dos ojos lúcidos y una oscura mirada,
y dos veloces pies, y una sabiduría,
pero anduvo tan lejos, tan libremente lejos
que nadie vio su rostro.

Pudo ser un volcán, pero fue Jorge Cáceres
esta médula viva,
esta prisa, esta gracia, esta llama preciosa,
este animal purísimo que corrió por sus venas
cortos días, que entraron y salieron de golpe
desde su corazón, al llegar al oasis
de la asfixia.

Ahora está en la luz y en la velocidad
y su alma es una mosca que zumba en las orejas
de los recién nacidos:

—¿Por qué lloráis? Vivid.
Respirad vuestro oxígeno.

EL ALUMBRADO

Acostumbra el hombre hablar con su cuerpo, ojear
su ojo, orejear diamantino
su oreja, naricear
cartílago adentro el plazo de su
aire, y así ojeando orejeando la
no persona que anda en el crecimiento
de sus días últimos, acostumbra
callar.

A la cerrazón sigue el diálogo con las abejas
para espantar la vejez; las convoca,
las inventa si no están, les dice palabras que no figuran,
las desafía a ser ocio;
ocio para ser, insiste convincente. Las otras
lo miran.

Después viene el párrafo de airear el sepulcro y
recurre a la experiencia limítrofe del cajón. Se mete en el cajón,
cierra bien la tapa de vidrio.
Sueña que tiene 23 y va entrando en la rueda de las
encarnaciones.
¿Por qué 23? La aguja de imantar no dice el número.
Sueña que es cuarzo, de un lila casi transparente.

Lo cierto es que llueve. Pensamiento o
liturgia, lo cierto es que llueve. Gaviotas
milenarias de agua amniótica
es lo que llueve. Sale entonces la oreja
de adentro de su oreja, la nariz
de su nariz, el ojo
de su ojo: sale el hombre de su hombre.
Se oye uno en él hablar.

TRANSTIERRO

1

Miro el aire en el aire, pasarán
estos años cuántos de viento sucio
debajo del párpado cuántos
del exilio,

2

comeré tierra
de la Tierra bajo las tablas
del cemento, me haré ojo,
oleaje me haré

3

Parado
en la roca de la identidad, este
hueso y no otro me haré, esta
música mía córnea

4

por hueca.

                    Parto

soy, parto seré.

Parto, parto, parto.

NINGUNOS

Ningunos niños matarán ningunos pájaros, ningunos errores
errarán, ningunos cocodrilos
cocodrilearán a no ser que el juego
sea otro y Matta, Roberto
Matta que lo inventó, busque en el aire a
su hijito muerto por si lo halla a unos tres metros
del suelo elevándose:
yéndose de esta gravedad.

Ningunas nubes nublarán ningunas estrellas, ningunas
lluvias lloverán cuchillos, paciencias
ningunas de mujeres pacienciarán
en vano, con tal
que llegue esa carta piensa Hilda y el sello
diga Santiago, con tal que esa carta
sea de Santiago, y

el que la firme sea Alejandro y
diga: Aparecí. Firmado: Alejandro
Rodríguez; siempre y cuando
se aclare todo y ningunas
muertes sean muertes, ningunas
Cármenes sean sino Cármenes, alondras en

vuelo hacia sus Alejandros, mi Dios, y
los únicos ningunos de este juego cruel sean ellos, ¡ellos
por lo que escribo esto con mi
sintaxis de niño contra el maleficio: los
mutilados, los
desaparecidos!

SEBASTIÁN ACEVEDO

Sólo veo al inmolado de Concepción que hizo humo
de su carne y ardió por Chile entero en las gradas
de la catedral frente a la tropa sin
pestañear, sin llorar, encendido y
estallado por un grisú que no es de este Mundo: sólo
veo al inmolado.

Sólo veo ahí llamear a Acevedo
por nosotros con decisión de varón, estricto
y justiciero, pino y
adobe, alumbrando el vuelo
de los desaparecidos a todo lo
aullante de la costa: sólo veo al inmolado.

Sólo veo la bandera alba de su camisa
arder hasta enrojecer las cuatro puntas
de la plaza, sólo a los tilos por
su ánima veo llorar un
nitrógeno áspero pidiendo a gritos al
cielo el rehallazgo de un toqui
que nos saque de esto: sólo veo al inmolado.

Sólo al Bío-Bío hondo, padre de las aguas, veo velar
al muerto: curandero
de nuestras heridas desde Arauco
a hoy, casi inmóvil en
su letargo ronco y
sagrado como el rehue, acarrear
las mutaciones del remolino
de arena y sangre con cadáveres al
fondo, vaticinar
la resurrección: sólo veo al inmolado.

Sólo la mancha veo del amor que
nadie nunca podrá arrancar del cemento, lávenla o
no con aguarrás o sosa
cáustica, escobíllenla
con puntas de acero, líjenla
con uñas y balas, despíntenla, desmiéntanla
por todas las pantallas de
la mentira de norte a sur: sólo veo al inmolado.

EL HELICÓPTERO

Ahí anda de nuevo el helicóptero dándole vueltas y vueltas a la
casa,
horas y horas, no para nunca
el asedio, ahí anda
todavía entre las nubes el moscardón con esa orden
de lo alto gira que gira olfateándonos
hasta la muerte.

Lo indaga todo desde arriba, lo escruta todo hasta el polvo con
sus antenas
minuciosas, apunta el nombre de cada uno, el instante
que entramos a la habitación, los pasos
en lo más oscuro del pensamiento, tira la red,
la recoge con los pescados aleteantes, nos paraliza.

Máquina carnicera cuyos élitros nos persiguen hasta después
que caemos, máquina sucia,
madre de los cuervos delatores, no hay abismo
comparable a esta patria hueca, a este asco
de cielo con este cóndor venenoso, a este asco de aire
apestado por el zumbido del miedo, a este asco
de vivir así en la trampa
de este tableteo de lata, entre lo turbio
del ruido y lo viscoso.

FOSA CON PAUL CELAN

A todo esto veo a nadie, pulso el peso
de nadie, oigo pardamente
a nadie la respiración y es nadie
el que me habita, el que
cabeza cortada piensa por mí, cabeza aullada, meo
por Rimbaud contra el cielo sin heliotropos
ni consentimiento,
                        de estrellas
que envejecen está hecho el cielo, noche
a noche el cielo, de hilo hilarante
cuya costura pudiera ser a medio volar
la serpiente,
                  nadie el traje,
el hueso de la adivinación nadie,
                                       me aparto
a mi tabla de irme, salvación
para qué con todo el frío
parado en la galaxia que hace aquí, ciego
relámpago por rey; debiera uno,
si es que debiera uno, llorar.

PAREJA HUMANA

Hartazgo y orgasmo son dos pétalos en español de un mismo
lirio tronchado
cuando piel y vértebras, olfato y frenesí tristemente tiritan
en su blancura última, dos pétalos de nieve
y lava, dos espléndidos cuerpos deseosos
y cautelosos, asustados por el asombro, ligeramente heridos
en la luz sanguinaria de los desnudos:
un volcán
que empieza lentamente a hundirse.

Así el amor en el flujo espontáneo de unas venas
encendidas por el hambre de no morir, así la muerte:
la eternidad así del beso, el instante
concupiscente, la puerta de los locos,
así el así de todo después del paraíso:
—Dios,
ábrenos de una vez.

CONJURO

1

Espíritu del caballo que sangra es lo que oigo ahora entre el
galope.
del automóvil y el relincho, pasado el puente
de los tablones amenazantes: agua, agua,
lúgubre agua
de nadie: las tres
en lo alto de la torre de ninguna iglesia, y abajo
el río que me llama: Lebu, Lebu
muerto de mi muerte;
niño, mi niño,
¿y esto
soy yo por último en la velocidad
equívoca de unas ruedas, madre, de una calle
más del mundo?

2

La pregunta es otra, la pregunta verde es otra
de los árboles, no este ruido
de cloaca hueca y capital, humo
de pulmones venenosos, la pregunta es cuándo,

la diastólica arteria, la urgentísima es cuándo y
cuándo, alazán
que sangras de mí, desprendido
del sonido
del límite
del Tiempo:
                    ¿cuándo,
hueso flexible, cuándo, carbón
sudoroso, límpido
del minero padre?
                              Pétalos
del aroma pobre, ¿cuándo?

3

Parpadeante rito de semáforos aciagos para el sacrificio
mayor, uno piensa
líquidamente como la sangre,
rojamente piensa uno
lo poco que piensa, del trabajo al trabajo, de un aceite
a otro quemado, abre
la puerta instantánea,
                              huele
de lejos los jazmines.

4

La alambrada huele de la costa aullante, la oreja
de lejos, de la mutilación, es lo que oye uno, la nieve
manchada que solloza, eso es lo que mira uno de tanta patria
diáfana, de tantas aves azules en el arcancielo
de Huidobro rey, de tanta cítara tensa
y libre como las cumbres y las olas, cuando Dios
moraba entre nosotros antes:

ésa es la pérdida de uno,

y el aire es una lágrima sobre Valparaíso.

5

Espíritu del caballo que sangra, ese uno soy yo
el adivino; ese yo es nadie:
la pregunta es otra contra los vidrios esta noche
en este cráter desde donde hablo
solo como loco,

la pregunta es quién para que Alguien

venga, si viene,

cambie, si cambia, para que de una vez

el viento...

6

Hambre es la fosa, hasta
la respiración es hambre, hasta
el amor es hambre;

nace uno
donde puede, a cada instante, encima del lomo
de cualquier cruce veloz, y pregunta;

7

por hambre pregunta uno, por volver
a volver, ¿a dónde?
Tierra
que vuelas en tu huso, ¿a dónde?,
perdición y traslación, ciega serpiente, hija
de las llamas, ¿a dónde?;

8

porque yendo-viniendo se aparta uno de todo,
se aparta a su pensamiento de hambre
como el silencio a su música
tras las alambradas, no puede más con su suerte;
como el cuchillo a su cuchillo se aparta,

9

y escribe, escribe con él, lo invisible escribe, lo que le dictan
los dioses
a punto de estallar escribe, la hermosura,
la figura de la Eternidad
en la tormenta.

FRAGMENTOS

1

Del cerebro cae la esperma, cerebro líquido,
y entra en la valva viva: *et Verbum caro
factum est.*
Leopardo
duerme en sus amapolas el pensamiento.
¿Quién
me llama en la niebla?

2

Cuerpo que vas conmigo, piel
de mi piel, hueso de mi hueso, locura
de haber venido a esto, desde la madre
a la horca,
sólo el Absoluto
es más fuerte que el leopardo,

3

un zarpazo, un ritmo,
no hay
otra hermosura comparable:
ni la que besamos, ni

la que no alcanzamos a besar en la prisa
de la aguja terrestre,
ni la majestad
del cielo y sus abismos, ni esta noche
tan
tersamente fragante
para yacer desnudos como vinimos
entre el fulgor y el éxtasis: como vinimos y nos vamos.

4

¿De qué se acuesta el hombre para morir, de qué latido
pernicioso, con la sien entrando hacia dónde
de la almohada y la oreja:
oreja ya de quién, nadando cuál
de los torrentes sombríos: el pantano
o el vacío sin madre: de cuál de las espinas
de la Especie?

5

Me invento en este Dios que me arrebata, me abrumo
en las vocales ciegas, me desperezo
entre estos libros sigilosos como serpientes,
¿cuánto
me queda en la trampa?
Díganme elocuente,
pero yo pregunto, pregunto.

6

Ya van cincuenta y siete, hila que hila, zumba
que zumba el zumbido contra el hueco del corazón.
Nacemos
y desnacemos en lo efímero, miramos
por el vidrio:
uno
no sabe si es otro, si todo empieza cuando salimos,

7

del polvo
al polvo,
del miedo
al miedo,
de la sombra

8

a la nada.
Sólo que de lo Alto
caemos con la esperma, nos encarnamos
en la apariencia, nos cortan de lo flexible
de la doncellez de la madre, nos secan a la intemperie
del llanto, y hay que subir, subir,
para ser:
perdernos,
perder

el aire, la vida, las máscaras, el fuego:

irnos quedando

solos
con
la
velocidad
de la Tierra.

9

Dormir por último en las piedras pero velar como el leopardo
entre las amapolas,

aquí y allá,

ser uno y otro

como el mar, vivir el Enigma.
¿Todo
es igual a todo, mi Oscuro?

¿Todo

es igual a Ti mismo?

ÍNDICE

página

página

página

página

poesía Hiperión

por orden alfabético

Adonis (Ali Ahmad Said): Epitafio para Nueva York
Marrakech/Fez
Aldana, Francisco de: Sonetos
Alegre Cudós, Jose Luis: Discurso de la dignidad poética
Andreu, Blanca: Báculo de Babel
De una niña de provincias que se vino a vivir en un Chagall
Antología del Minnesang (Bernd Dietz ed.)
Aragon, Louis: Habitaciones
Arp, Hans: Días deshojados
Atencia, María Victoria: Compás binario
La pared contigua
Aute, Luis Eduardo: Canciones
La liturgia del desorden
La matemática del espejo
Azúa, Félix de: Poesía 1968-1978
Farra

al-Bayati, Abd al-Wahhab: Escrito en el barro
Ben Sahl: Poemas
Buenaventura, Ramón: Arthur Rimbaud, esbozo biográfico
Cantata Soleá
El abuelo de las hormigas
Las Diosas Blancas
Tres movimientos
Vereda del gamo

Cantares de Ise (Ise Monogatari) (Antonio Cabezas ed.)
Cañas, Dionisio: El fin de las razas felices
La caverna de Lot
Poesía y percepción
Carnero, Guillermo: Ensayo de un teoría de la visión

Gabriel y Galán, José Antonio: Un país como éste no es el mío
García Hortelano, Juan: Echarse las pecas a la espalda
García Montero, Luis: Diario cómplice
Poesía, cuartel de invierno
Garulo, Teresa: Dīwān de las poetisas de al-Andalus
Gaviño de Franchy, Carlos: La emancipación de los objetos
Giménez Frontín, José Luis: Las voces de Laye
González, Ángel: Prosemas o menos
Guillén, Jorge: El poeta ante su obra
Historia muy natural
Guzmán, Almudena: Usted

Haro Ibars, Eduardo: Sex Fiction
Holan, Vladimír: Dolor
Hölderlin, Friedrich: Correspondencia amorosa
Hiperión, versiones previas
Hiperión, o el eremita en Grecia
La muerte de Empédocles
Las grandes elegías
Poemas de la locura

Ibn al-Farid: Poema del camino espiritual
Irigoyen, Ramón: Cielos e inviernos
Issa Kobayashi: Cincuenta haikus

Jaikus inmortales (Antonio Cabezas ed.)
Janés, Clara: Eros
Kampa
Lapidario
Vivir
Jiménez, José Olivio: Antología crítica de la poesía modernista hispanoamericana
Juaristi, Jon: Arte de marear

Kavafis, Konstantino: Poesías completas
65 poemas recuperados
Kleist, Heinrich von: Sobre el teatro de marionetas

Labé, Louise: Debate de Locura y Amor
Labordeta, Miguel: Metalírica
Layton, Irving: Poemas de amor
Li Bo: Cincuenta poemas
Lihn, Enrique: Mester de juglaría

Llamazares, Julio: La lentitud de los bueyes
Memoria de la nieve

Mallarmé, Stéphane: Obra poética I-II
Manioshu (Colección para diez mil generaciones)
Marcos, Julián: El carnaval
Martín Gaite, Carmen: A rachas
Martínez de Merlo, Luis: Fábula de Faetonte
Martínez Sarrión, Antonio: De acedía
Diario austral
El centro inaccesible
Mengíbar, Inmaculada: Los días laborables
Montesinos, Rafael: De la niebla y sus nombres
Moral, Claudio del: Los naipes del tahúr
Munárriz, Jesús: Camino de la voz
Esos tus ojos

Nietzsche, Friedrich: Poemas
Novalis: Los discípulos en Sais
Núñez, Aníbal: Alzado de la ruina
(A. N. 1944-1987) (pliegos de poesía Hiperión)

Ory, Carlos Edmundo de: Miserable ternura. Cabaña
Otero, Blas de: Correspondencia sobre la edición de
«Pido la paz y la palabra»

Palomero, Mari Pepa: Poetas de los 70
Panero, Leopoldo María: Poemas del manicomio
de Mondragón
Piera, Carlos: Antología para un papagayo
Pino, Francisco: Antisalmos
Así que
Cuaderno salvaje
Méquina dalicada
Plath, Sylvia: Ariel
Poesía expresionista alemana (Trakl, Stadler, Heym)
Provencio, Pedro: Poéticas españolas contemporáneas
I La generación del 50
II La generación del 70
Pueblo cautivo (Anónimo clandestino, 1946)

Quiñones, Fernando: Muro de las hetairas

Raine, Kathleen: En una desierta orilla
Riechmann, Jorge: Cántico de la erosión
Exploración del archipiélago. René Char
Rilke, Rainer Maria: La canción de amor y muerte
del alférez Christoph Rilke
Rimbaud, Arthur: Iluminaciones
Poesías
Una temporada en el infierno
Rojas, Gonzalo: Materia de testamento
Rosselló, Isabel: La noche fragmentada
Rossetti, Ana: Indicios vehementes
Rūmī: Poemas sufíes
ar-Rusafī de Valencia: Poemas

Santana, Lázaro: Destino
Que gira entre las islas
Sarmiento, José Antonio: Las palabras en libertad. Antología
de la poesía futurista italiana

Seifert, Jaroslav: Breve antología
Setenta y siete seguiriyas de muerte (J. L. Ortiz, ed.)
Simón, César: Precisión de una sombra
Sorescu, Marin: El Ecuador y los Polos
Suárez, Miguel: La perseverancia del desaparecido
Stevenson, Robert Louis: De vuelta del mar

Takuboku: Un puñado de arena
Talens, Jenaro: El sueño del origen y la muerte
La mirada extranjera
Otra escena/Profanacion(es)
Proximidad del silencio
Purgatorio
Tabula rasa
Tres poetisas italianas del Renacimiento (Mtnez. de Merlo, ed.)

Un país donde lucía el sol. Poesía inglesa de la guerra civil española (Bernd Dietz, ed.)
Urrutia, Jorge: La travesía

Valverde, Álvaro: Las aguas detenidas
Velasco, Lola: La frente de una mujer oblicua

Yurkiévich, Saúl: Rimbomba

Zayyad, Tawfiq: Ammán en septiembre